G000036793

MÉTHODE DE FRANÇAIS

Sylvia Steele
Selfridges Dept 312.

BIENVENUE EN FRANCE

Tome 1
EPISODES 1 à 13

Annie MONNERIE-GOARIN

Cahier d'exercices

En collaboration avec
l'Institut français de Munich

Maurice GOTTLIEB
Directeur du Cours de langue

Yannick BEAUVAIS
Maryse BELOTCHKINE
Dominique ENDRES
Ondine PRAUHART-DEBRAYE
Professeurs de français langue étrangère

HATIER / Didier

La loi du 11 mars 1957 n'autorisant aux termes des alinéas 2 et 3 de l'article 41, d'une part, que les copies ou reproductions strictement réservées à l'usage privé du copiste et non destinées à une utilisation collective, et, d'autre part, que les analyses et les courtes citations dans un but d'exemple et d'illustrations, toute représentation ou reproduction intégrale, ou partielle, faite sans le consentement de l'auteur ou de ses ayants droits ou ayants cause, est illicite (alinéa 1er de l'article 40). Cette représentation ou reproduction, par quelque procédé que ce soit, constituerait donc une contrefaçon sanctionnée par les articles 425 et suivants du Code pénal.
Imprimé en France

© LES ÉDITIONS DIDIER - HATIER 1990

ISBN 2-278-02927-4

Ce cahier complète le livre de l'élève de la série **Bienvenue en France**.

Les exercices proposés, qui peuvent être faits, avec ou sans le professeur, permettent :

- de vérifier que les dialogues du livre, ou du film, et les parties Savoir-vivre ont été bien compris ;
- de renforcer les points de grammaire déjà vus ;
- d'apporter un lexique supplémentaire concernant les thèmes illustrés dans chaque épisode.

ORLY

1er épisode

Phonétique

— **Voyelles orales :**	
fermées	[i] s**i**, v**i**te, [y] d**u**, s**u**r, [u] s**ou**s, cr**oû**te.
semi-fermées	[e] th**é**, sant**é**, [Ø] d**eu**x, p**eu**, [o] ch**au**d, b**eau**.
semi-ouvertes	[ɛ] p**è**re, **ai**me, [œ] s**eu**l, p**eu**r, [ɔ] n**o**rd, c**o**lle.
ouvertes	[a] p**a**p**a**, cel**a**, p**a**sse.
— **Voyelles nasales :**	[ɛ̃] v**in**, p**ain**, **un**, parf**um**, [ɑ̃] **en**, ch**am**bre [õ] b**on**, c**om**prendre.
— **Semi-voyelles :**	[j] pied, viens, [ɥ] lui, tuer, [ɲ] monta**gn**e, [w] souhaiter, **toi**.
— **Consonnes :**	[p] **p**orte, a**pp**eler. [t] **t**out, sep**t**.
	[k] **q**uel**q**ues, fli**c**. [f] **f**aux, neu**f**.
	[s] **s**es, a**ss**ez. [ʃ] **ch**anson, a**ch**eter.
	[l] a**ll**er, ma**l**ade. [m] **m**on, fe**mm**e.
	[b] **b**on, ro**b**e. [d] **d**oux, ai**d**e.
	[g] **g**are, bla**gu**e. [v] **v**ous, éner**v**er.
	[z] po**s**er, di**s**ent. [ʒ] **j**ouer, a**g**ent.
	[r] a**rr**êt, parti**r**. [n] a**nn**ée, **n**ouveau.
— **La liaison :**	
avec – t	Un petit‿ami.
avec – s	Ils‿aiment, nous‿habitons. (z) (z)
avec – n	un‿ami, un‿homme.
— **L'intonation :**	
interrogative	Tu joues aux cartes ? Qui est-ce ?
affirmative et	Elle est là. Je désire du café.
négative	Il n'est pas 6 heures.
	Il est 6 heures et je ne suis pas en retard.
impérative	De l'eau !
	Donne de l'eau, s'il te plaît !

TABLEAU RÉCAPITULATIF DES POINTS DE GRAMMAIRE

— **L'interrogation :**	**Qui** êtes-vous **? Qu'est-ce qu**'il fait **?** **Où** travaillez-vous **? Quelle** heure est-il **?**
— **Les pronoms personnels :**	Je, tu, il, elle, nous, vous, ils, elles.
— **Les verbes au présent :**	Être, arriver, aller, partir, faire, travailler, s'appeler.

Avez-vous bien compris ?

1. Qui sont-ils ?
Écrivez le nom des personnes sous les images : *M. Dupuis, Françoise, le chauffeur de taxi, Vincent.*

a

....

b

....

c d

....

2. Que disent-ils ?
Faites une croix (x) correspondant à l'image n° 2 :

a) ☐ Ah Vincent ! Vous êtes seul ?
b) ☐ Je vais chercher une jeune fille.
c) ☐ Il est neuf heures. Vite !
d) ☐ Vous allez travailler ensemble. Bonne chance !

3. Vrai ou faux ?
Faites une croix dans la bonne colonne :

	V	F
Exemple : Vincent est stagiaire à l'hôtel Concorde.	x	
a) Vincent cherche le chef du personnel.		
b) Françoise arrive à quatre heures.		
c) Françoise est dans l'autocar.		
d) Vincent sait où est Françoise.		

4. Mettez les phrases suivantes dans l'ordre chronologique de l'histoire (de 1 à 4) :

a) ☐ Taxi !
b) ☐ Je vous présente Françoise Charrier. Elle est stagiaire ici.
c) ☐ Voilà Françoise Charrier. Elle arrive à Orly à 10 heures.
d) ☐ Je cherche une jeune fille.

5. Le texte ne va pas avec l'image. Retrouvez le texte exact (pp. 7, 8, 9) :

a	b	c	d
Vincent arrive à Orly.	Vincent appelle un taxi.	Vincent cherche Françoise.	M. Dupuis montre la photo de Françoise à Vincent.
....	....	....	....
....	....	....	....

6. Vous présentez quelqu'un. Qu'est-ce que vous dites ?

a) ☐ Vous êtes stagiaire ?
b) ☐ Voilà Françoise Charrier.
c) ☐ Je suis seul.

7. Retrouvez les lieux :

Exemple : Où travaille Vincent ? → À l'hôtel Concorde.

Image n° 4 : Où est Vincent ?

....

Image n° 12 : Où est M. Dupuis ?

....

Retrouvez l'action :

Image n° 3 : Que fait Vincent ?

....

Image n° 8 : Que demande Françoise ?

....

8. Qui parle ? À qui ?

Exemple : Où allez-vous ? → Le chauffeur de taxi parle à Vincent.

a) Elle arrive à Orly à 10 heures. ....
b) Je cherche une jeune fille. ....
c) Il y a un autocar d'Air France dehors. ....
d) Mais où est Françoise Charrier ? ....

Exercez-vous

1. Complétez avec un déterminant (un article défini) :

a) .... chef du personnel
b) .... aéroport
c) .... fille
d) .... hôtels
e) .... chance
f) .... taxi
g) .... stagiaire
h) .... voyage
i) .... hôtesse
j) .... autocar

2. Mettez le verbe au présent de l'indicatif :

a) arriver. Nous .... à Orly.
b) travailler. Où .... -vous ?
c) appeler. Comment t'.............................. -tu ?
d) habiter. Ils .... à Paris.

3. Transformez les phrases suivantes :

Exemple : Partez-vous à sept heures ? → Pars-tu à 7 heures ?

a) Êtes-vous Françoise ? ....
b) Arrivez-vous à 14 h ? ....
c) Allez-vous à l'hôtel ? ....
d) Faites-vous un voyage ? ....
e) Travaillez-vous à l'hôpital ? ....
f) Vous appelez-vous Isabelle ? ....

4. Reliez les deux parties de la phrase :

a) Il est
b) Vous habitez
c) Vous allez
d) Je vais chercher
e) Quelle heure

1. une jeune fille.
2. travailler ensemble.
3. est-il ?
4. à Paris ?
5. midi.

5. Mettez le verbe au présent de l'indicatif :

a) être. Je .... stagiaire à l'hôtel Concorde.
b) s'appeler. Il .... Monsieur Dupuis.
c) faire Qu'est-ce que vous .... ?
d) aller. Je .... à Paris.
e) partir. Vincent et Pierre .... à six heures.

6. Trouvez la question :

Exemple : Qu'est-ce qu'elle fait ? → Marie Dumas est hôtesse de l'air.

a) .... Vincent va à l'aéroport.

b) .... Il est minuit.

c) .... C'est le chef du personnel.

d) .... Il est chirurgien.

e) .... Je suis Mademoiselle Dubois.

7. Complétez avec le pronom sujet :

a) Qu'est-ce qu'.............. fait ?

b) .... est chirurgien.

c) .... est pharmacienne.

d) .... vais chercher Françoise.

e) Où habitez-.............. ? .... habite à Munich.

f) Où sont-.............. ? .... sont à Paris.

Des mots en plus

LES PROFESSIONS

Cherchez la traduction dans votre dictionnaire :

un apprenti
un boucher
un boulanger
une couturière
un électricien
un employé
un industriel
un ingénieur
un maçon
un ouvrier d'usine
un peintre
un professeur
apprendre
construire
enseigner

1. Complétez :

a) Il est .... chez Peugeot.

b) Elle est .... et travaille chez Chanel à Paris.

c) Il enseigne à l'institut, il est ....

d) Elle apprend les langues à l'université, elle est ....

e) Il construit des maisons, des aéroports, il est ....

2. Essayez de trouver le féminin. Vérifiez ensuite dans votre dictionnaire :

a) Un employé ....

b) Un couturier ....

c) Un boulanger ....

d) Un aviateur ....

3. Où travaillent-il ? Reliez les noms :

a) Un ouvrier
b) Un étudiant
c) Un boulanger
d) Un employé

1. dans une banque.
2. dans une boulangerie.
3. à l'université.
4. dans une usine.

4. Qui est-ce ?

a 

b 

c 

d 

a) .... b) .... c) .... d) ....

5. Complétez le texte :

D'Orly, ... 30 mn pour aller à Paris. Il y a .... toutes les 12 mn et il va jusqu'à .... pour .... de 38 F.

6. Qu'est-ce que ça veut dire ?

a) RATP
b) SNCF
c) RER
d) Métro

1. Réseau express régional.
2. Chemin de fer métropolitain.
3. Société nationale des chemins de fer français.
4. Régie autonome des transports parisiens.

7. Que prenez-vous ?

a) Pour aller d'Orly à la gare des Invalides ? ....

b) Pour aller de l'aéroport de Roissy à la gare du RER de Roissy ? ....

c) Pour aller d'Orly à Denfert-Rochereau ? ....

d) Pour aller de Roissy au métro Nation ? ....

8. Choisissez le bon moyen de transport :

a) Il vous emmène aux gares du RER.
b) On l'appelle Orlybus.
c) Il s'arrête Porte d'Orléans ou gare Montparnasse.

1. Le train.
2. L'autocar Air France.
3. L'autobus de la RATP.

Rappelez-vous

1. Posez les questions :

a) – ....

– C'est le directeur de l'usine.

b) – ....

– Je suis journaliste.

c) – ....

– Je m'appelle Daniel Baudry.

d) – ....

– Je cherche la compagnie Air France.

e) – ....

– À la gare d'Austerlitz.

f) – ....

– Il est 6 heures du matin à la Martinique.

2. a) Complétez :

Roland Garros est le premier .... qui traverse la .... en 1913. Le stade de tennis à Paris s'appelle ....

b) Complétez avec : *compagnies – aéroports – passagers.*

Les .... d'Orly et de Roissy ont reçu 37 millions de .... Il y a en tout 190 .... dont Air France, UTA, Air Inter pour la France.

Ouvertures

© Hachette

« C'est un vieux coucou. »

À l'HÔTEL CONCORDE

2e épisode

Phonétique

— **Lettres muettes :**	
on voit	on entend
grand petit je prends trois Henri	gran(d) peti(t) je pren(ds) troi(s) (H)enri
— **Masculin/féminin**	
charman(t) gran(d) mauvai(s) prê(t)	charmant(e) grand(e) mauvais(e) prêt(e) ell(e) habit(e) un(e) petit(e) vill(e).
— **i, ou, u + voyelle**	
▪ i + voyelle : → ill	[j] : pied, bien, viens. famille **mais :** ville = (vil).
▪ ou + voyelle : → oi	[w] : ouir, jouer, vois.
▪ u + voyelle : →	[y] : suis, cuisine, tuer.
— c	
▪ c devant e, i → prononcez : (se) (si) **ce**la, ce**ci** ▪ cu + voyelle cueillir, accueil → prononcez : [k]	▪ c devant o, a, u, → prononcez : ko, ka, ku, **coca**, **co**pie, **Cu**ba. ▪ ç (avec cédille) + voyelle ça, ço, çu → prononcez [s] : (sa), (so), (su) fran**çai**s, Fran**çoi**se, re**çu**.
— g	
▪ g devant e, i ge → ju**ge** gi → a**gi**r → prononcez : [ʒ] ▪ gu + voyelle gue : dialo**gue** gui : **gu**ichet → prononcez : [g]	▪ g devant a, o, u ga, go, gu → prononcez : [g] **ga**gner, **go**thique, **Gu**stave ▪ ge + voyelle Peu**ge**ot, oran**ge** → prononcez : [ʒ]

TABLEAU RÉCAPITULATIF DES POINTS DE GRAMMAIRE

— **Demande polie :** je voudrais + nom	Je voudrais une chambre.	
— **Les adjectifs qualificatifs**	masculin Un sac **italien**	féminin Une voiture **italienne**.
— **La négation simple :** ne .... pas	Je **ne** travaille **pas**.	
— **Les déterminants :** (articles) un, une, des	**Un** hôtel, **une** stagiaire, **des** crayons.	
— **Les verbes au présent :**	Commencer, avoir, regarder	

Avez-vous bien compris ?

1. **Qui sont-ils ?**
Écrivez le nom des personnes sous les photos : *le réceptionniste, la cliente, Françoise, le client.*

a b c d

....

2. **Que disent-ils ?**
Faites une croix (x) correspondant à l'image n° 2 :

a) ☐ Le stage commence. Vous êtes prêts ?
b) ☐ Avez-vous un plan de Paris ?
c) ☐ Je voudrais un timbre, s'il vous plaît.
d) ☐ Je voudrais une chambre avec douche.

3. Vrai ou faux ?
Faites une croix dans la bonne colonne :

	V	F
Exemple : Le stage commence.	X	
a) Le client voudrait une chambre pour un jour.		
b) La cliente voudrait un peigne.		
c) Le réceptionniste a un plan de Paris.		
d) Pour Françoise et Vincent, le travail est facile.		

4. Le texte ne va pas avec l'image. Retrouvez le texte exact (pp. 19, 20, 21) :

a	b	c	d
La cliente voudrait un plan de Paris.	Le réceptionniste demande aux stagiaires : « Vous êtes prêts ? »	Vincent dit : « Je suis prêt ».	Le client voudrait un crayon et des enveloppes.
....	....	....	....
....	....	....	....

5. Mettez les phrases suivantes dans l'ordre chronologique de l'histoire (de 1 à 4) :

a) ☐ Je voudrais une enveloppe, s'il vous plaît.
b) ☐ Non, ce n'est pas facile.
c) ☐ Le stage commence. Vous êtes prêts ?
d) ☐ Avez-vous un plan de Paris ?

6. Que pouvez-vous acheter quand vous êtes dans une pharmacie :

a) ☐ Des mouchoirs en papier.
b) ☐ De l'eau de toilette.
c) ☐ Des enveloppes.

dans un bureau de tabac :

a) ☐ Un plan de Paris.
b) ☐ Des lunettes de soleil.
c) ☐ Des timbres.

dans une papeterie :

a) ☐ Des chocolats.
b) ☐ Des enveloppes.
c) ☐ De l'eau minérale.

dans une pâtisserie :

a) ☐ Une glace.
b) ☐ Un journal.
c) ☐ Un gâteau.

7. Retrouvez les lieux :

Image n° 2 : Où est le client ?

....

Image n° 4 : Où sont le réceptionniste, Vincent et Françoise ?

....

Retrouvez l'action :

Image n° 5 : Que fait le client ?

....

Image n° 12 : Que disent Vincent et Françoise ?

....

8. Qui parle ? À qui ?

Exemple : Pour combien de jours ? → Le réceptionniste parle au client.

a) Vous êtes prêts ? ....
b) C'est combien ? ....
c) Vous désirez, Monsieur ? ....
d) Alors ! C'est facile ? ....

Exercez-vous

1. Complétez avec un déterminant (article indéfini) :

a) .... plan de Paris
b) .... douche
c) .... chambres
d) .... crayon
e) .... bain
f) .... enveloppes
g) .... nuit
h) .... clé
i) .... personne
j) .... timbre

2. Mettez le verbe au présent de l'indicatif :

a) faire. .... -ils un voyage ?
b) apprendre. J' .... le français.
c) commencer. Ils...................... à huit heures.

d) regarder. Tu .... la télévision.

e) avoir. .... -ils des lunettes de soleil ?

f) être. .... -elle Italienne ?

g) avoir. J' .... une Citroën.

3. Transformez les phrases suivantes :

Exemple : Êtes-vous Espagnole ? → Sont-ils Espagnols ?

a) Habitez-vous à Londres ? (tu) ....

b) Vas-tu à Paris ? (ils) ....

c) Il est photographe. (nous) ....

d) Commençons-nous à 8 heures ? (elles) ....

e) Nous regardons le match de foot. (tu) ....

f) Elle a un plan de Munich. (je) ....

4. Reliez les deux parties de la phrase :

a) Une chambre
b) Avez-vous
c) Elle a
d) Il y a des mouchoirs
e) Désirez-vous

1. un plan de Paris ?
2. une voiture française.
3. des chocolats ?
4. pour deux personnes.
5. dans mon sac.

5. Mettez le verbe au présent de l'indicatif :

a) aller. Ils ne .... pas à l'hôtel.

b) désirer. .... -vous une chambre à un lit ?

c) être. .... -elle Américaine ?

d) vouloir. Il .... des enveloppes.

e) avoir. .... -ils une voiture ?

6. Mettez à la forme négative (ne .... pas) :

a) Elle a des lunettes de soleil dans son sac. ....

b) Vous allez à Montparnasse. ....

c) Ils partent aujourd'hui. ....

d) J'habite rue Lepic. ....

7. Complétez avec un adjectif :

Exemple : C'est une voiture italienne.

a) Sa femme est ....

b) Il parle ....

c) Votre sac est ....

d) C'est un avion ....

8. Trouvez la question :

a) ....? Je voudrais une chambre avec bain.
b) ....? Pour deux nuits, c'est possible.
c) ....? Non, je ne suis pas anglaise.
d) ....? Elle va dans une pâtisserie.
e) ....? Ils font un voyage en avion.

9. Complétez avec le pronom sujet :

a) Que demandent- .... à l'hôtesse ?
b) .... regardes un film.
c) .... ai des lunettes de soleil.
d) .... n'es pas à Paris.
e) Avez-.............. une voiture française ?

10. Mettez à la forme négative (ne .... pas) :

a) Je sais où est Françoise. ....
b) Ils habitent à Paris. ....
c) Vous êtes journaliste. ....
d) Je pars à sept heures. ....
e) Elle est hôtesse de l'air. ....
f) Ils vont à Orly. ....
g) Tu t'appelles Pierre. ....

Des mots en plus

LES FORMULES DE POLITESSE
Cherchez la traduction dans votre dictionnaire :

au revoir
bienvenue
bonjour
bonne nuit
bonsoir
enchanté
saluer

avec plaisir
excuser
merci
remercier
s'il vous plaît

aimable
l'amabilité
la connaissance
l'invitation
reconnaissant (de)

permettre
recommander

1. Complétez :

a) – .... Monsieur, ...une chambre avec douche pour 2 nuits.

b) – Voilà Monsieur, chambre numéro 2.

c) – Oh ! ...., pourrais-je avoir un timbre, ...?

d) – Mais bien sûr, voilà Monsieur. ....

c) – Au revoir et ....

2. Essayez de trouver des noms à partir des verbes suivants :

a) remercier ....

b) saluer ....

c) excuser ....

d) connaître ....

3. Rayer le mot qui ne correspond pas :

a) bonjour – au revoir – bonne nuit – une chambre.
b) excuser – prendre – remercier – recommander.
c) enchanté – avec plaisir – beaucoup – très heureux.

4. Reliez le pronom sujet au verbe :

a) Nous	1. salues le directeur.
b) Tu	2. remercions nos amis.
c) Je	3. recommandent ce restaurant.
d) Ils	4. suis enchanté de vous revoir.

5. Complétez avec un adjectif de nationalité :

a) Le Concorde est un avion ....

b) Le Coca-Cola est une boisson ....

c) VW et BMW sont des marques ....

d) Les spaghetti sont des pâtes ....

6. Donnez la définition :

a) Un gîte rural est
1. ☐ une chambre dans un hôtel 4 étoiles.
2. ☐ une chambre chez l'habitant.

b) Le Ritz est
1. ☐ un palace.
2. ☐ un gîte rural.

c) Le Grand Hôtel de Cabourg est
1. ☐ décrit par Rimbaud.
2. ☐ décrit par Marcel Proust.

7. Reliez le nom au signe :

a) Parking privé — 1.
b) Mini-bar — 2.
c) Ascenseur — 3.
d) Télex — 4.
e) Chiens interdits — 5.

8. Qu'est-ce que c'est ?

a) Une chambre individuelle
b) Une suite
c) Une pension complète
d) Une demi-pension

1. Hôtel + petit déjeuner + dîner.
2. Pour 1 seule personne.
3. Plusieurs pièces = petit appartement.
4. Hôtel plus les 3 repas.

Rappelez-vous

1. Mettez à la forme négative :

a) Les offices du tourisme donnent tous les renseignements sur les hôtels.

....

b) Marcel Proust décrit le Grand Hôtel de Cabourg dans « Du côté de chez Swann ».

....

c) À Paris, vous pouvez vous adresser à l'Office du tourisme pour réserver un billet d'avion. ....

d) Les chiens sont admis dans les palaces.

....

e) « Le guide du routard » donne les adresses des palaces.

....

2. Posez les questions :

a) – .... ?
– Dans le guide du Routard ou le guide Michelin.

b) – .... ?
– L'office du tourisme de Paris, 127, avenue des Champs-Élysées.

c) – .... ?
– Il a trois étoiles.

d) – .... ?

– Oui, le George V, le Crillon, le Plaza-Athénée, le Ritz.

e) – .... ?

– Oui, ils sont admis.

Ouvertures

A découper et à retourner à :

MAISON DES GÎTES DE FRANCE

35, rue Godot-de-Mauroy

75009 PARIS

- -

Nom du propriétaire : ______________________

Commune : ______________ Département : ______________

Avez-vous été satisfait de votre séjour ?

	Satisfaisant	Moyen	Insuffisant
Accueil	☐	☐	☐
Confort	☐	☐	☐
Literie	☐	☐	☐
Petit déjeuner	☐	☐	☐
Table d'hôte	☐	☐	☐
Cadre environnement loisirs	☐	☐	☐
Respect des tarifs	☐	☐	☐

Impression générale : ______________________

____

Mon Nom : ______________________

Mon adresse : ______________________

____

PARIS, LA NUIT

3e épisode

Phonétique

Opposition entre :					
[ø]	**deux**, **peu**t,	[e]	th**é**	[ɛ]	p**è**re.
[ɛ]	p**è**re, **ai**me,	[e]	th**é**, sant**é**.		
[œ]	s**eu**l,	[œ̃]	**un**.		
[ɔ]	n**o**rd,	[o]	be**au**.		
[y]	d**u**, s**u**r,	[u]	s**ou**s.		

L'alphabet : Prononcez spécialement : e, g, h, j, u, v, w, y, z.

TABLEAU RÉCAPITULATIF DES POINTS DE GRAMMAIRE

— **Demander l'heure**	→	Quelle heure est-il ?
— **Les déterminants**	→	le, la, l' (devant a, e, o, u, i,) les
— **Les pronoms**	→	Tu ou vous ?
— **Il faut + infinitif**	→	Il faut réparer la télévision.
— **Les verbes au présent**	→	Donner, fermer, venir, sortir.

Avez-vous bien compris ?

1. Vrai ou faux ?

	V	F
a) Le client a réservé une chambre.		
b) L'hôtel n'est pas complet.		
c) Vincent et Jean vont au théâtre.		
d) Vincent est en forme.		

2. Le texte ne va pas avec l'image. Retrouvez le texte exact (pp. 31, 32, 33) :

a	b	c	d
Vous avez une chambre ?	Je suis libre ce soir.	Rendez-vous à 8 heures dans le hall.	Vincent et Jean arrivent à l'hôtel.
....	....	....	....
....	....	....	....

3. Mettez les phrases suivantes dans l'ordre chronologique de l'histoire (de 1 à 4) :

a) ☐ On boit un verre ?
b) ☐ Bonne nuit ? Il est 6 heures du matin !
c) ☐ Vincent ! Comment ça va ?
d) ☐ Il y a un restaurant en face.

4. Quelle heure est-il ?

a) b) c)

d) Le magasin est ouvert de .... à ....

OUVERT
DE
À

5. Répondez aux questions :

Le téléphone ne marche pas. Que faut-il faire ? ....
....

La porte est ouverte. Il fait froid. Que faut-il faire ? ....
....

6. Retrouvez les lieux :

Image n° 10 : Où sont Vincent et Jean ?

....

Image n° 3 : Où sont Vincent et Françoise ?

....

Retrouvez l'action :

Image n° 7 : Que fait Vincent ?

....

Image n° 11 : Que font Vincent et Jean ?

....

7. Qui parle ? À qui ?

a) J'ai réservé une chambre. ....

b) Oui, je suis libre. ....

c) Il y a un restaurant en face. ....

d) Il est tard, on rentre. ....

Exercez-vous

1. Complétez avec un déterminant :

article indéfini		article défini	
a)	problème	a)	soir
b)	numéro	b)	heure
c)	clés	c)	affaires
d)	idée	d)	cinéma
e)	avion	e)	verre.

2. Mettez le verbe au présent de l'indicatif :

a) donner. ....-moi des timbres, s'il vous plaît.

b) sortir. Je .... du restaurant.

c) fermer. Nous .... la porte de la chambre.

d) venir. Ils .... demain.

e) commencer. Nous .... à 8 heures du matin.

f) avoir. Elles n' .... pas d'enveloppes.

g) être. ....-vous en retard ?

3. Transformez les phrases suivantes :

a) Ils vont à Paris ce soir. (tu) ....

b) Fais-tu la cuisine ? (vous) ....

c) Elles partent à 6 heures et demie. (je) ....

d) Je m'appelle Hélène. (vous) ....

e) Travaillez-vous le dimanche ? (ils) ....

f) Je suis à Toulouse. (nous) ....

g) Vous avez une voiture. (je) ....

4. Reliez les deux parties de la phrase :

a) Je dois	1. en retard.
b) Vous avez	2. beaucoup de clients à l'hôtel
c) Il y a	3. une bonne idée.
d) Vous arrivez	4. prendre l'avion demain.
e) Elle est	5. avec un chien.

5. Mettez le verbe au présent de l'indicatif :

a) vouloir. Elle ne .... pas partir à Londres.

b) ouvrir. La poste .... à 8 heures et demie.

c) réserver. .... par téléphone !

d) refuser. .... -vous mon chien ?

e) être. Vous .... seule.

6. Mettez à la forme négative :

a) Il faut venir avec un chien. ....

b) Vous prenez la chambre avec douche. ....

c) Je viens aujourd'hui. ....

d) Elles donnent des bonbons à Vincent. ....

7. Complétez par des prépositions :

a) La voiture ne roule pas .... le trottoir.

b) Il répare l'ascenseur .... l'hôtel.

c) Il y a un ascenseur .... l'hôtel.

d) On met vingt minutes .... aller .... Paris .... Orly.

e) Le bus va .... la gare.

8. Trouvez la question :

a) .... ? J'arrive demain.
b) .... ? C'est le directeur du personnel.
c) .... ? Elle est coiffeuse.
d) .... ? Je suis dans ma chambre.
e) .... ? Il y a des photos dans mon sac.

9. Complétez avec un pronom sujet :

a) Que regardent- .... ?
b) .... reviens demain.
c) .... doivent travailler le soir.
d) .... n'arrive pas à Orly.
e) .... ne réserves pas ta chambre ?

Des mots en plus

LES MOMENTS DE LA JOURNÉE
Cherchez la traduction dans votre dictionnaire :

le petit déjeuner	le matin	tôt	aujourd'hui	fatigué
le déjeuner	le midi	tard	demain	avoir un problème
le dîner	le soir		hier	résoudre un problème
	la nuit			

1. Complétez avec les mots et expressions suivantes : ce soir, demain matin, j'ai un problème, petit déjeuner.

Pouvez-vous me réveillez à 6 h .... ? Je prends du café au ....
Ah ! .... avec la douche. Pouvez-vous venir voir .... ? Merci.
Chambre 208.

2. Cochez la bonne réponse :

a) Il déjeune au restaurant
1. ☐ à midi
2. ☐ à 7 heures.

b) Il dîne au restaurant
1. ☐ le matin.
2. ☐ le soir.

c) Il est tard, on rentre.
1. ☐ Il est 7 h du soir.
2. ☐ Il est 6 h du matin.

3. Reliez le pronom sujet au verbe :

a) Vous
b) Ils
c) Elle
d) Tu

1. prend son petit-déjeuner à 7 h 45.
2. dînez chez des amis ?
3. ont un problème avec la douche.
4. résouds le problème de la douche.

4. Rayez le mot qui ne correspond pas :

a) dîner – déjeuner – commencer – manger.
b) lundi – demain – hier – aujourd'hui.
c) le matin – le dîner – à midi – la nuit.

5. Complétez avec : les clés, réserver, augmenter, voir.

a) Je viens .... une chambre pour samedi.
b) Tu sors .... les prix affichés.
c) Elle donne .... de la chambre n° 14.
d) Vous pouvez .... le prix s'il y a un lit supplémentaire.

6. Dites ce que vous pouvez faire :

a) Vous êtes seul et on vous donne une chambre pour 2 personnes
1. Vous pouvez faire baisser le prix.
2. Vous ne pouvez pas faire baisser le prix.

b) La chambre ne correspond pas à la réservation.
1. Vous pouvez demander une autre chambre.
2. Vous pouvez faire baisser le prix.

7. Qu'est-ce que c'est ?

a) Il a été construit à l'initiative de Napoléon 1er.
b) Elle est de style gothique.
c) Elle a eu 100 ans en 1989.

1. Notre-Dame
2. La tour Eiffel.
3. L'Arc de Triomphe.

8. Dans quel arrondissement se trouvent-il ?

a) Le restaurant « L'Alsace » ? ....
b) La tour Eiffel ? ....
c) La boulangerie de l'Ancienne Comédie ? ....
d) La recette principale du Louvre ? ....

9. Employez le bon verbe :

a) écouter
b) voir
c) assister
d) aller

1. à une pièce de théâtre.
2. un nouveau film.
3. à un spectacle.
4. un concert.

Rappelez-vous

1. Donnez le déterminant (indéfini) correspondant :

a) .... lit
b) .... peintres
c) .... connaissance
d) .... chef d'œuvre
e) .... mouchoirs
f) .... feuille de papier
g) .... enveloppe
h) .... clefs

2. Où trouvez-vous cela ?

a) Des enveloppes et du papier à lettres ? ....
b) Des billets de banque ? ....
c) Du pain, des bonbons et des gâteaux ? ....
d) Des mouchoirs en papier, du sirop ? ....

3. Mettez à la forme négative :

a) C'est un petit hôtel.

....

b) Vous avez le téléphone dans la chambre.

....

c) Vous pouvez amener votre chien.

....

d) Ce sont les bonbons de Jean.

....

4. Posez les questions ?

a) – .... ?
– À 8 heures ce soir.

b) – .... ?
– Oui Madame, votre chambre est prête.

c) – .... ?
– Oui Monsieur, il y a la télévision et le téléphone.

d) – .... ?
– Je pars demain à 8 heures.

5. Répondez aux questions avec des phrases :

a) À quelle heure part l'avion pour Genève ?

....

b) Qu'est-ce que vous faites ?

....

c) Il y a la télévision dans le restaurant ?

....

d) Où vas-tu à cette heure tardive ?

....

6. Mettez les phrases dans l'ordre :

a) a été construite – en 1889 – la tour Eiffel – pour l'exposition universelle

....

b) réserver – une chambre – à l'avance – il faut

....

c) sont – étudiants – ils – habitent – et – à Madrid

....

Ouvertures

Après avoir pris connaissance du document de la page 29, répondez aux questions suivantes :

a) Quelle est l'adresse du Palais-Garnier ?

....

b) Quelle pièce joue-t-on le samedi soir à la Comédie Française ?

....

c) De qui est cette pièce ?

....

d) Quel est le numéro de téléphone du théâtre de l'Atelier ?

....

THEATRES

THEATRES NATIONAUX

★ **OPERA DE PARIS GARNIER,** place de l'Opéra, 47.42.57.50. Loc. de 11 h à 18 h 30.
Dimanche 26 novembre à 19 h 30 :
PROGRAMME JEROME ROBBINS
Mardi 28 novembre à 19 h 30 :
THE LONDON BAROQUE ORCHESTRA
Charles Medlan direction. Didon et Enée de Purcell (version concert).

★ **COMEDIE FRANÇAISE,** 2, rue de Richelieu, 40.15.00.15. Loc. 21 j. à l'av. de 11 h à 18 h.
SALLE RICHELIEU :
Mercredi et samedi à 20 h 30 :
LE MISANTHROPE
de Molière, mise en scène Simon Eine.
Jeudi et lundi à 20 h 30, dimanche à 14 h :
LORENZACCIO
drame d'Alfred de Musset.
Mercredi (abt) et samedi (abt) à 14 h, vendredi, dimanche et mardi à 20 h 30 :
LE MARIAGE DE FIGARO
de Beaumarchais, mise en scène d'Antoine Vitez.

★ **CHAILLOT (Théâtre National),** place du Trocadéro, 47.27.81.15. Loc. de 11 h à 19 h, dim. de 11 h à 17 h.
SALLE JEAN VILAR :
Soir 20 h 30, relâche dimanche et lundi. **Représentation supplémentaire en matinée samedi 25 novembre à 14 h 30 :**
LE BOURGEOIS GENTILHOMME
de Molière, mise en scène Jérôme Savary.

★ **THEATRE NATIONAL DE LA COLLINE,** 15, rue Malte-Brun (20e), 43.66.43.60.
GRAND THEATRE :
Soir 20 h 30, mat. dim. 15 h 30. Rel. dim. soir et lundi.
OPERETTE
de W. Gombrowicz, mise en scène Jorge Lavelli.
PETIT THEATRE :
Soir à 21 h, dimanche à 16 h, rel. dim. soir et lundi :
LES PETITS AQUARIUMS
de Philippe Minyana, mise en scène Robert Cantarella.

★ **THEATRE NATIONAL DE L'ODEON,** 1, place Paul-Claudel, 43.25.70.32. Loc. de 11 h à 18 h 30.
GRANDE SALLE :
Soir. 20 h 30, dim. 15 h, relâche dim. soir et lundi, jeudi 23 novembre à 20 h 30 : soirée réservée.
TORQUATO TASSO
de Goethe.
PETITE SALLE :
Soir. 18 h, dimanche à 18 h 30, relâche lundi :
LE MOBILE D'AURORA
d'après le roman d'Erick Hackl.

Autres théâtres

★ **ANTOINE-Simone Berriau,** 14, boulevard de Strasbourg, 42.08.77.71. (Soir. 20 h 45, sam. 17 h 30 et 21 h. Mat. dim. 15 h 30. Rel. dim. soir et lundi). Loc. de 11 h à 19 h. Places 80 à 250 F.
LA RITOURNELLE
comédie de Victor Lanoux avec Sim, Micheline Boudet.

© Allô Paris

★ **ATELIER,** place Charles-Dullin, 46.06.49.24. (Soir 21 h, mat. dim. 15 h 30. Relâche dim. soir et lundi). Places : 20 F à 220 F. Location de 11 h à 19 h.

LOCATION OUVERTE
POUR LES REVEILLONS
dimanche 24 et 31 décembre :
matinées à 15 heures 30
et soirées supplémentaires à 21 heures
THEATRE DE L'ATELIER
MICHEL BOUQUET
JULIETTE CARRÉ
CATHERINE BENAMOU
CHARLES GONZALES
JOHN ARNOLD
GILLES GASTON-DREYFUS
L'AVARE
de
MOLIERE
Mise en scène PIERRE FRANCK
Décor PACE - Costumes GABRIEL DU RIVAU
FRANCK-OLIVIER BONNET
JULIETTE MAILHÉ
SEBASTIEN FLOCHE
JEAN-JACQUES GIRY
PASCAL FONTAINE - FRANCIS SCHUHMACHER
JACQUES BURON

L'AVARE
de Molière, mise en scène Pierre Franck avec Michel Bouquet, Juliette Carré.

★ **ATHENEE,** 4, square de l'Opéra-Louis Jouvet (9e), 47.42.67.27.
SALLE LOUIS JOUVET :
Mercredi, jeudi, vendredi et samedi à 20 h 30. **Représentation supplémentaire dimanche 26 novembre à 16 h :**
TITUS ANDRONICUS
de William Shakespeare, mise en scène Daniel Mesguich.
SALLE CHRISTIAN BERARD :
A partir du 28 novembre :
ODE MARITIME
de Fernando Pessoa par le Naïf Théâtre.

★ **BOUFFES-PARISIENS,** 4, rue Monsigny (2e), 42.96.60.24. (Soir 20 h 45, mat. sam. 18 h et 20 h 45, dim. 15 h 30. Rel. dim. soir et lun.) Loc. de 11 h à 19 h.
L'ILLUSIONNISTE
de Sacha Guitry, mise en scène Jean-Luc Moreau avec Jean-Claude Brialy, Corinne Le Poulain, Claude Nicot.

ON VA AUX PUCES ?

4e épisode

TABLEAU RÉCAPITULATIF DES POINTS DE GRAMMAIRE

— **Les nombres ordinaux :**	le premier, la première, le/la deuxième.
— **L'interrogation :** Qu'est-ce que ... ?	– **Qu'est-ce que** je peux faire ? – Tu peux acheter des chocolats.
— **Demander :** Pour aller à ... ?	– **Pour aller à** la poste ? – Vous prenez la première rue à droite.
— **Exprimer le lieu :** à l', à la, au, aux	– Où allez-vous ? – Je vais **à** l'aéroport. – Je vais **à la** poste. – Je vais **au** (le) cinéma. – Je vais **aux** (les) Puces.
— **Les pronoms :** (après une préposition) moi, toi	– Qu'est-ce que vous buvez ? – **Moi**, un café. – Et pour **toi**, Isabelle ? – Pour **moi**, un jus d'orange.
— **Demander le prix :**	– **C'est combien** un café ? – C'est 4,50 francs. – **Ça fait combien ?** – Ça fait quinze francs.
— **Prendre quelque chose :**	Je prends **un taxi.** Vous prenez **la rue** à gauche. On prend **un jus d'orange.**
— **Les verbes au présent :**	Prendre, boire.

Avez-vous bien compris ?

1. Vrai ou faux ?

	V	F
a) La glace vaut dix francs.		
b) Pierre a faim.		
c) Françoise prend un jus de fruit.		
d) Françoise a gagné un lot de cinquante francs.		

2. Le texte ne va pas avec l'image. Retrouvez le texte exact (pp. 43, 44, 45) :

a b c d

a	b	c	d
On va au Marché aux Puces ?	On mange quelque chose ?	Vincent, Françoise, Pierre et Isabelle sont dans le métro.	Isabelle a soif.
....	....	....	....
....	....	....	....

3. Mettez les phrases suivantes dans l'ordre chronologique de l'histoire (de 1 à 4) :

a) ☐ Je joue encore.
b) ☐ Un carnet s'il vous plaît.
c) ☐ Pour moi un verre d'eau. Et pour toi ?
d) ☐ Elle vaut combien cette glace ?

4. Écrivez les nombres en toutes lettres :

a) Ça fait 92 francs. ....

b) Elle habite n° 77, rue Lepic. ....

c) Il ne peut pas acheter un foulard en soie. Il manque 200 francs. ....

d) Elle a 150 francs. ....

5. Rayez le mot qui ne correspond pas :

a) cinéma – gare – théâtre – concert.
b) peigne – timbre – glace – parfum.
c) stylo – crayon – lunettes – enveloppes.

6. Retrouvez les lieux :

Image n° 1 : Où sont Vincent, Françoise, Pierre et Isabelle ?

....

Image n° 3 : Où est Vincent ?

....

Image n° 9 : Où sont Vincent, Françoise, Pierre et Isabelle ?

....

Retrouvez l'action :

Image n° 11 : Que fait le forain ?

....

Image n° 10 : Que fait Françoise ?

....

7. Qui parle ? À qui ?

a) Vous allez tout droit et après la grande place, vous prenez la première rue à gauche ....

b) Madame, elle vaut combien cette glace ? ....

c) Quatre saucisses frites, deux jus de fruit, deux verres d'eau. Bon appétit !

....

d) J'ai perdu. ....

Exercez-vous

1. Complétez avec un déterminant :

article indéfini		article défini	
a)	métro	f)	tickets
b)	gare	g)	rue
c)	marché	h)	pont
d)	buvette	i)	saucisses
e)	parfums	j)	jus de fruit

2. Mettez le verbe au présent de l'indicatif :

a) avoir.	Je n'	pas de saucisses.
b) venir.	Ils	à Paris.
c) être.	....	-vous américain ?
d) prendre.	Je	un café.
e) boire.	....	-vous un verre d'eau ?
f) faire.	Vous ne	pas la cuisine.
g) prendre.	....	le métro, ligne 6.

3. Transformez les phrases suivantes :

a) Je ne vais pas à Paris aujourd'hui. (ils) ....
b) Tu t'appelles Mme Dubois ? (vous) ....
c) Vous partez à 6 heures et quart. (je) ....
d) Tu commences à quelle heure ? (nous) ....
e) Tu n'as pas cinquante francs ? (elles) ....
f) Vous donnez des chocolats à Isabelle ? (tu) ....
g) Nous sortons à 8 heures moins le quart ? (je) ....

4. Reliez les deux parties de la phrase :

a) Qu'est-ce qu' — 1. rue à droite.
b) On change — 2. on fait ?
c) La deuxième — 3. quatre-vingts francs.
d) Ça fait — 4. quelque chose.
e) On mange — 5. à la gare de l'Est.

5. Complétez avec le pronom sujet qui convient :

a) .... peux acheter ce foulard.
b) .... faut réparer le réfrigérateur.
c) .... prends la direction : Porte de Clignancourt.
d) Comment faites-.............. ?
e) .... ne suis pas Mme Dubois.

6. Mettez à la forme négative :

a) Il faut changer à la gare de l'Est. ....
b) On va au café. ....
c) Vous prenez un taxi. ....
d) Je vais au Louvre. ....

7. Complétez :

a) Ils vont .... Puces.
b) Elle ne peut pas acheter la montre. Il .... 50 francs.
c) Je vais .... théâtre ce soir.
d) Elles arrivent .... hôtel à 5 heures.
e) .... aller à l'Opéra, s'il vous plaît ?
f) Qu'est-ce que vous prenez ? .... je prends un jus d'orange. Et .... ?
g) Un jus de fruit, ... combien ?

8. Trouvez la question :

a) .... ? Elle va aux Puces.
b) .... ? Ça fait 70 francs.
c) .... ? Vous prenez la deuxième rue à droite.
d) .... ? Vous pouvez acheter un disque.

Des mots en plus

LES REPAS
Cherchez la traduction dans votre dictionnaire :

délicieux	le dessert	le jambon	le poivre	la tarte
rassasié	le fromage	les légumes	le repas	la tartine
	un fruit	un œuf	la salade	la viande
commander	le gâteau	le pain	le sel	le vinaigre
débarrasser	l'huile			
servir				

1. Complétez :

a) avoir faim. Il est midi, nous ....
b) commander. Nous .... de la viande et des frites.
c) avoir soif. Tu .... ?
d) prendre. Oui, je .... un jus d'orange.
c) revenir. Le garçon .... avec la commande.

2. Que pouvez-vous prendre le matin au petit déjeuner ?

a) un œuf
b) du pain
c) de l'huile
d) du sel
e) du fromage
f) de la confiture
g) des tartines
h) une tarte

3. Comment appelle-t-on ?

a) Du pain avec du beurre.
b) Du vinaigre, de l'huile, du sel, du poivre.
c) Un gâteau avec des fruits.

1. Une vinaigrette.
2. Une tartine.
3. Une tarte.

4. Qu'est-ce qu'il font ?

a) Le garçon
1. ☐ sert le repas.
2. ☐ commande un dessert.

b) Le client
1. ☐ prend un repas.
2. ☐ débarrasse la table.

5. Rayez le mot qui ne correspond pas :

a) poivre – huile – vinaigre – gâteau
b) commander – servir – demander – prendre
c) saucisses – steack – tarte – frites

6. Complétez :

Le métro de Paris .... de 15 lignes et 366 .... Il transporte chaque jour 4 millions de .... Il .... de 5 h 30 du matin à 1 h 30 ....

7. Donnez les directions des lignes suivantes :

Exemple : ligne n° 1 : Château de Vincennes → Pont de Neuilly.

a) ligne n° 3 : ....
b) ligne n° 8 : ....
c) ligne n° 12 : ....

8. Donnez les stations de la ligne n° 1, de pont de Neuilly à Palais Royal :

....

....

9. Reliez chaque nom à un billet :

a) vingt francs
b) cent francs
c) cinq cents francs
d) deux cents francs

1. Eugène Delacroix
2. Montesquieu
3. Claude Debussy
4. Blaise Pascal

10. Reliez chaque nom à un lieu :

a) Le marché aux Puces
b) La foire du Trône
c) Centre Beaubourg
d) Le Sacré-Cœur

1. Bois de Vincennes
2. (M) Rambuteau
3. Saint-Ouen
4. (M) Abbesse

11. Que peut-on acheter au marché aux Puces ?

a) des vêtements
b) de la nourriture
c) des meubles
d) du cuir (blousons – sacs)
e) des objets anciens
f) des appareils ménagers neufs

Rappelez-vous

1. Posez les questions :

a) – .... ?

– Le marché aux Puces est à Saint-Ouen.

b) – .... ?

– Il existe depuis plus de 100 ans.

c) – .... ?

– J'ai acheté des antiquités.

d) – .... ?

– Avec des étrangers (Italiens, Belges ...)

2. Combien ça coûte en France ? (en 1989)

a) Une tablette de chocolat
b) Un flacon de parfum
c) Un disque
d) Une carte de métro à la journée

1. 25 F.
2. 7,50 F.
3. 250 F.
4. 85 F.

3. Reliez le verbe et le complément :

a) Boire
b) Acheter
c) Réserver
d) Prendre
e) Construire

1. un ticket de métro.
2. un monument.
3. de l'eau.
4. une chambre.
5. la première à gauche.

4. Formez des phrases :

a) Si vous réservez par téléphone,
b) Si vous prenez le métro,
c) Si vous allez aux Puces,
d) Si vous allez au bois de Vincennes,

1. vous devez descendre « Porte de Clignancourt ».
2. vous verrez la foire du Trône en mai.
3. vous devez arriver avant 7 h du soir.
4. vous devez acheter un ticket.

5. Trouvez le verbe à partir du nom :

a) l'attirance
b) le gain
c) la perte
d) la descente
e) le voyageur – le voyage
f) le choix

Ouvertures

Quels sont ces monuments ?

a) centre G. Pompidou

b) Le Sacré-Coeur

c) L'Opéra

d) le Grand Palais

LE TGV POUR LYON

5e épisode

TABLEAU RÉCAPITULATIF DES POINTS DE GRAMMAIRE

— **Les nombres :**	Trois cents cinquante (350). Mille deux cent vingt et un (1 221).
— **Les articles contractés :** du, de l', de la, des	Le plan **du** (de + le) métro. Le restaurant **de l'**aéroport. (devant a, o, u, i, e ou h muet) Le café **de la** gare. Le départ **des** (de + les) trains.
— **L'interrogation :** C'est combien ?	– Plein tarif, **c'est combien ?** – C'est 420 francs.
À quelle heure ?	– Le train part **à quelle heure ?** – Il part à 6 heures.
Quel ?	– Il voyage **quel** jour ? – Il voyage samedi.
— **Les adjectifs démonstratifs :** ce, cet, cette, ces	**Ce** (le) train part à 15 heures 30. **Cet** hôtel a 3 étoiles. (devant a, o, u, i, e ou h muet) Je voudrais **cette** (la) glace. Donnez **ces** (les) bonbons à Vincent !
— **Les verbes au présent :**	choisir, voir

Avez-vous bien compris ?

1. Vrai ou faux ?

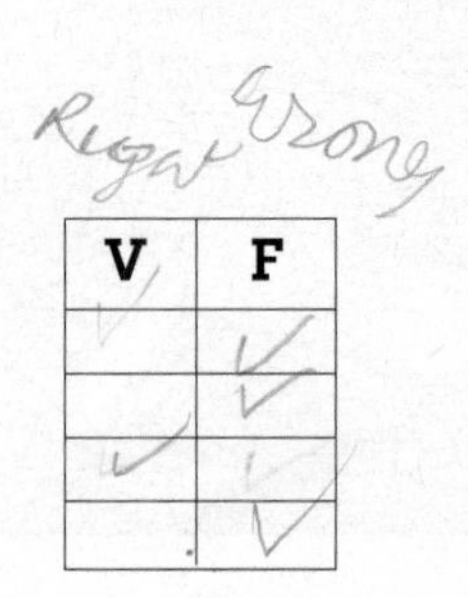

a) Les stagiaires partent demain matin à Nice.
b) Vincent achète deux billets de train.
c) Ils rapportent des fromages de la région à Paris.
d) Ils achètent dix fromages.

2. Le texte ne va pas avec l'image. Retrouvez le texte exact (pp. 55, 56, 57) :

a	b	c	d
Les stagiaires prennent le TGV.	Vincent voudrait 4 billets pour Lyon.	Vous avez les horaires sur le tableau.	Françoise choisit le coin fenêtre.
....	....	....	....
....	....	....	....

3. Mettez les phrases suivantes dans l'ordre chronologique de l'histoire (de 1 à 4) :

a) ☐ Ça sent mauvais !
b) ☐ Ramenez-moi des fromages de Lyon.
c) ☐ Et ce voyage à Lyon ?
d) ☐ Je prends le coin fenêtre.

4. Écrivez les nombres en toutes lettres :

a) Nous sommes en 1989. ....

b) Ça fait 201 francs. ....

5. Complétez :

a) La poste ouvre .... huit heures et demie ....

b) Il est vingt heures ou huit heures ....

c) Elle prend le train .... Genève.

6. Retrouvez les lieux :

Image n° 1 : Où sont les stagiaires ?

....

Image n° 11 : Où est Françoise ?

....

Retrouvez l'action :

Image n° 12 : Que fait Françoise ?

....

Image n° 6 : Que font les stagiaires ?

....

7. Qui parle ? À qui ?

a) Vous allez visiter le restaurant de Paul Bocuse. ....

b) Le train pour Lyon part à quelle heure ? ....

c) Je voudrais des Saint-Marcellin. ....

d) Et ce voyage à Lyon ? ....

Exercez-vous

1. Complétez avec un article défini contracté :

a) la photo ..de la.. secrétaire.

b) le directeur ..de l'.. hôtel.

c) le pont ..de la.. gare.

d) le café ..du.. musée.

e) les horaires ..des.. trains.

f) la pharmacie ..du.. Centre.

g) le pilote ..de l'.. avion.

h) le guide ..des.. hôtels.

2. Mettez le verbe au présent de l'indicatif :

a) voir. Vous ..voyes.. Paul Bocuse dans le restaurant.

b) prendre. Je ..prends.. un taxi pour aller à Orly.

c) choisir. Quel ..choisissez.. train -vous ?

d) être. C' ..est.. combien, le jus de fruit ?

e) vouloir. Il ..veut.. un billet aller-retour.

f) pouvoir. Je ..Deux.. prendre le train à 8 heures.

3. Transformez les phrases suivantes :

a) Vous pouvez faire un voyage avec la carte Carré-jeune. (elle) ....

b) Nous achetons un billet première classe. (tu) ....

c) Tu arrives sur quelle voie ? (ils) ....

d) Elle choisit ce foulard. (je) ....

e) Vous mettez combien de temps pour aller de Paris à Marseille ? (tu) ....

4. Reliez les deux parties de la phrase :

a) Il est 5 heures
b) Je voudrais 4 billets
c) Prenez le train
d) On voudrait rapporter
e) À quelle heure

1. pour Lyon.
2. des fromages de la région.
3. partez-vous ?
4. du matin.
5. pour Paris !

5. Complétez avec un démonstratif :

a) Je ne veux pas .... lunettes.

b) .... monsieur est charmant.

c) .... hôtel est simple.

d) Je prends .... glace.

e) Vous partez avec .... avion.

f) .... train arrive à vingt heures trente.

g) .... stagiaires sont nouveaux.

h) .... cliente voudrait des enveloppes.

6. Mettez à la forme négative :

a) Ils vont au même endroit. ....

b) C'est le directeur de l'hôtel. ....

c) Elles aiment la glace à la vanille. ....

d) Elles prennent le même train. ....

7. Complétez :

a) Je voudrais un billet .... Nice, s'il vous plaît.

b) Quand on prend le train, on .... réserver sa place à l'avance.

c) Vous pouvez voyager .... une réduction de 50 %.

d) Si vous voyagez .... Europe, prenez la carte Inter rail.

8. Trouvez la question :

a) .... ? Je mets 8 heures pour aller de Paris à Marseille.
b) .... ? Le train arrive à treize heures cinquante.
c) .... ? Nous sommes mercredi.
d) .... ? Oui, ce train est direct.
e) .... ? Vous partez sur la voie 12.
f) .... ? Je prends le train pour Lyon.

Des mots en plus

POUR VOYAGER

Cherchez la traduction dans votre dictionnaire :

bruyant
confortable
dur
paisible

l'accès aux quais
un compartiment
une consigne
une couchette
un quai
un souterrain
une voie
un wagon-lit

une dizaine
une douzaine

les points cardinaux
Nord-Sud-Est-Ouest

accéder à
consigner
déposer
desservir
retirer

1. Complétez avec : une place, consigne, prends, déposé, le Sud, compartiment.

Je .... ce soir le TGV pour Marseille dans .... de la France. J'ai réservé .... dans un .... non-fumeurs. J'ai .... ce matin ma valise à la .... de la gare de Lyon.

2. Essayer de retrouver les noms à partir des verbes. Vérifiez ensuite dans votre dictionnaire :

a) consigner
b) accéder
c) déposer
d) retirer

3. Reconstituez les phrases :

a) deux – nous – couchettes – réservé – avons

nous avons réservé deux couchettes

b) prennent – une – pour – ils – leurs bagages – consigne

ils prennent leurs bagages pour une consigne

c) accédez au – par – quai – vous – ce souterrain ?

accédez vous par au quai ce souterrain

4. Qu'est-ce que c'est ?

a) une couchette	1. un dépôt pour les bagages.
b) un quai	2. une cabine dans un wagon.
c) une consigne	3. un endroit où on attend le train.
d) une place en wagon-lit	4. un lit dans un compartiment.

5. Qu'est-ce que je peux dire :

a) Le lit est
1. ☐ confortable
2. ☐ paisible

b) Ce compartiment est
1. ☐ bruyant
2. ☐ dur

c) La couchette est
1. ☐ dure
2. ☐ bruyante

6. Complétez :

Quand on prend le ...., la réservation est .... On peut .... juste avant de ....

7. Quels droits nous donne :

a) La carte Carré-jeune
1. ☐ 4 allers-retours
2. ☐ 4 allers simples

b) La carte Inter rail
1. ☐ de voyager en Europe pour 1 320 F
2. ☐ de voyager en France pour 1 320 F

8. Dans quelle période est-ce ? (document p. 61)

a) Lundi 8 h
1. ☐ bleue
2. ☐ blanche
3. ☐ rouge

b) Samedi 22 h
1. ☐ bleue
2. ☐ blanche
3. ☐ rouge

c) Début de vacances, vendredi soir
1. ☐ bleue
2. ☐ blanche
3. ☐ rouge

9. Cochez la bonne réponse :

a) Vous n'avez pas composté le billet
1. ☐ Vous payez 50 % en plus.
2. ☐ Vous payez 20 % en plus.

b) On peut se faire rembourser un billet
1. ☐ Avant 4 mois.
2. ☐ Après 4 mois.

c) On peut échanger un billet
1. ☐ Avant 2 mois.
2. ☐ Après 2 mois.

10. Quelles sont les caractéristiques du TGV ?

a) ☐ Le billet coûte le même prix que pour un train ordinaire.
b) ☐ Il roule plus vite qu'un train ordinaire.
c) ☐ Il ne roule pas plus vite qu'un train ordinaire.
d) ☐ Il dessert toutes les grandes villes.
e) ☐ Il ne dessert que certaines villes importantes.

11. Indiquez les arrêts du TGV ouest : (document p. 62)

....

Rappelez-vous

1. Posez les questions :

a) – .... ?

– Une carte Inter rail, voilà Monsieur, 1 320 F.

b) – .... ?

– Oui, mais vous devez payer 25 F.

c) – .... ?

– Non, c'est complet pour samedi à 14 h.

d) – .... ?

– Oh ! J'ai oublié de composter mon billet.

2. Complétez avec un adjectif démonstratif :

a) .... dimanche
b) .... cartes
c) .... voyage
d) .... place
e) .... fromages
f) .... mouchoir
g) .... boisson
h) .... ouvrier

3. Accordez les adjectifs qualificatifs : *belle – belles – beau – beaux – bel.*

a) Une .... tartine.
b) De .... chiens.
c) De .... salades.
d) De .... tartes.
e) Un .... hôtel.
f) Une .... glace.
g) De .... carnets.
h) Un .... aéroport.

4. Reliez les sujets aux verbes :

a) Vous
b) L'employée
c) Le voyageur
d) Tu

1. prends la première rue à droite.
2. compostez votre billet.
3. rembourse le billet.
4. doit payer un supplément.

Ouvertures

Mettez des commentaires sous les images suivantes :

a) Oh ! J'ai oublié.
b) C'est ce wagon !
c) Qu'est-ce que je vais faire ?
d) Les gens attendent.
e) Il donne le billet au client.
f) Allez, montez !

1

2

3

TÉLÉPHONEZ-MOI !

6e épisode

TABLEAU RÉCAPITULATIF DES POINTS DE GRAMMAIRE

— **Les pronoms compléments :** le, l', la, les	– Je vous passe Vincent. Je vous **le** passe. – Je cherche le stylo, tu **l'**as ? – Je vois la secrétaire. Je **la** vois. – J'achète les chocolats. Je **les** achète.
— **Les pronoms personnels compléments :** (après préposition) moi, toi, lui, elle	– Je pars en voyage, et **toi** ? **Moi,** aussi ! – Je vais au café avec Pierre. Je vais au café avec **lui**. – Cette glace est pour Isabelle. Cette glace est pour **elle**.
— **Indicateur de temps :** dans	– La pharmacie ferme dans combien de temps ? – Elle ferme **dans** un quart d'heure.
— **Les verbes au présent :**	rappeler, vouloir, pouvoir

Avez-vous bien compris ?

1. Vrai ou faux ?

a) Une télécarte, ça fait vingt francs.
b) Vincent rappelle M. Pasquier dans une heure.
c) La secrétaire entend mal Vincent.
d) M. Pasquier veut voir Vincent.

	V	F
a)		
b)		
c)		
d)		

2. Le texte ne va pas avec l'image. Retrouvez le texte exact (pp. 67, 68, 69) :

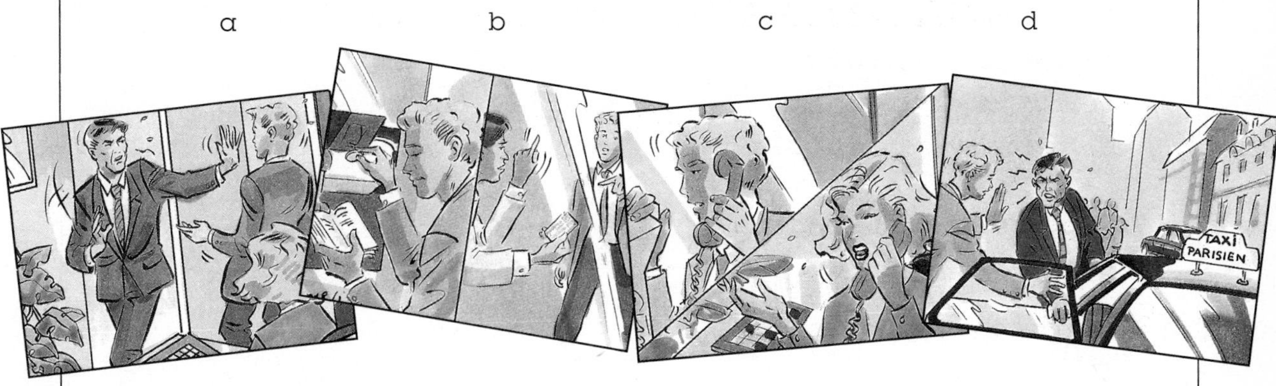

a	b	c	d
Vincent téléphone dans une cabine.	Vincent rappelle M. Pasquier.	Vincent va au bureau de M. Pasquier.	Vincent achète une télécarte.
....	....	....	....
....	....	....	....

3. Mettez les phrases suivantes dans l'ordre chronologique de l'histoire (de 1 à 4) :

a) ☐ Il est trop tard, M. Pasquier ne veut pas vous voir.
b) ☐ M. Pasquier n'est pas là. Vous voulez laisser un message ?
c) ☐ Je voudrais une télécarte.
d) ☐ Soyez poli, jeune homme !

4. Complétez :

a) Vincent revient .... dix minutes.

b) .... numéro faites-vous ?

c) Je fais .... 19 et .... 49.

5. Retrouvez les lieux :

Image n° 1 : Où est Vincent ?

....

Image n° 10 : Où sont M. Pasquier et Vincent ?

....

Retrouvez l'action :

Image n° 12 : Que fait Vincent ?

....

Image n° 2 : Que fait le buraliste ?

....

6. Qui parle ? À qui ?

a) Je voudrais parler à M. Pasquier. ....
b) Soyez poli, jeune homme ! ....
c) Vous pouvez parler plus fort ?. ....
d) J'ai rendez-vous avec M. Pasquier. ....

7. Répondez aux questions :

Un homme téléphone dans la cabine.
a) Il est poli avec Vincent ?
....
b) M. Pasquier est-il sympathique ?
....

Exercez-vous

1. Complétez avec un déterminant : *du, de l', de la, des.*

a) le bureau .... secrétaire.
b) le chef .... personnel
c) le parfum .... hôtesse.
d) l'hôtel .... Américains.

2. Mettez le verbe au présent :

a) rappeler. .... -moi dans dix minutes !
b) mettre. L'avion .... une heure et quart pour aller de Marseille à Tunis.
c) voir. Je ne .... pas Isabelle.
d) choisir. Il .... cette cravate.
e) vouloir. .... -vous prendre le train de 8 heures ?
f) fermer. Nous .... dans dix minutes.
g) pouvoir. Je ne .... pas partir avec elle.

3. Transformez les phrases suivantes :

a) Arrivez-vous ce soir ? (tu) ....
b) Nous n'avons pas réservé la chambre. (elle) ....
c) Elle veut partir demain. (ils) ....
d) Ils sont au musée. (vous) ....
e) Elles ne peuvent pas acheter cette glace. (je) ....

4. Reliez les deux parties de la phrase :

a) Vous pourriez
b) Je suis
c) Pouvez-vous
d) Vous voulez
e) J'arrive

1. en retard.
2. laisser un message ?
3. rappeler plus tard ?
4. dans un quart d'heure.
5. parler plus fort ?

5. Complétez avec un pronom complément :

a) Vincent n'est pas là. Je .... rappelle dans 10 minutes.
b) Ce foulard, je .... achète.
c) Je voudrais ces chocolats. Je .... aime
d) Françoise est à la gare. Je .... vois.
e) J'ai un billet pour Paris. Je .... ai.
f) Je prends les clés du bureau. Je .... prends.
g) La porte ferme mal. Il faut .... réparer.
h) Ce bus va à Orly. Tu peux .... prendre.

6. Complétez :

a) Françoise va aussi à Paris. Je prends le train avec ....
b) Je bois un jus d'orange. Et .... ? .... aussi.
c) Cette cravate est pour Vincent ? Oui, elle est pour ....
d) Tu vas au cinéma ? Je vais au cinéma avec ....
e) Pierre habite à Lyon. Et Jacques ? .... il habite à Marseille.

7. Complétez :

Au téléphone.
a) Oui, M. Dubois est là. Ne .... pas, je vous .... passe.
b) Ce n'est pas le numéro de l'hôtel. Vous vous .... de numéro.
c) Elle part .... voyage.
d) La secrétaire revient .... cinq minutes.

8. Trouvez la question :

a) .... ? Nous arrivons dans 20 minutes.
b) .... ? Cette cravate est pour le directeur.
c) .... ? Elle est dans le bureau de la secrétaire.
d) .... ? J'ai rendez-vous avec Mme Dubois.
e) .... ? Cette montre coûte 300 francs.

Des mots en plus

LA POSTE – LA LETTRE – LE TÉLÉPHONE

Cherchez la traduction dans votre dictionnaire :

la boîte aux lettres
la carte postale
le destinataire
l'employé des postes
l'expéditeur
un imprimé
le télégramme

l'adresse
affranchir
cacheter } une enveloppe
coller } une enveloppe
la lettre
plier
la signature
signer

la communication
coupé
la ligne
mettre en communication
occupé
terminé

1. Complétez :

Pour .... une lettre, je prends un .... et je le colle sur l'.............................. . J'écris l'adresse du .... sur l'enveloppe et l'adresse de l'.............................. derrière l'enveloppe. Puis je la mets à la ....

2. Composez les phrases :

a) La ligne
b) Il faut
c) La conversation
d) Il répond

1. avoir une télécarte.
2. est occupée.
3. au téléphone.
4. est terminée.

3. Qui le fait ?

a) Écrire l'adresse
1. ☐ le client
2. ☐ l'employé des postes

b) Coller un timbre
1. ☐ le client
2. ☐ l'employé

c) Passer la communication
1. ☐ le client
2. ☐ l'employé

4. Essayez de retrouver le verbe à partir du nom. Vérifiez ensuite dans votre dictionnaire :

a) la communication.
b) l'expédition.
c) le correspondant.
d) la signature.

5. Accordez l'adjectif :

a) beau — Une .... carte postale.
b) long — Une .... adresse.
c) occupé — Une ligne ....
d) timbré — Des lettres ....

6. Où peut-on téléphoner ?

....
....
....

7. Comment peut-on téléphoner ?

....
....
....

8. Quel est l'indicatif ? **Combien coûte 1 minute ?**

	Indicatif	1 minute
a) Allemagne (RFA)	....	....
b) Espagne	....	....
c) Pérou	....	....

9. Indiquez les tarifs des communications téléphoniques aux périodes suivantes : (document p. 73)

a) mardi matin	11 h	....
b) jeudi soir	19 h	....
c) samedi midi	13 h	....
d) dimanche soir	20 h	....

10. Répondez aux questions :

a) Qu'était la Bastille au XIVe siècle ? ....
b) Quand a été prise la Bastille ? ....
c) La Bastille est le symbole de quoi ? ....
d) Qu'y a-t-il aujourd'hui à sa place ? ....
e) Qu"y a-t-il en face de la Colonne ? ....

11. À quoi ça sert ?

a) Une colonne Morris
b) Un « situ »
c) Un panneau municipal

1. conseille des itinéraires en bus ou métro.
2. renseigne sur les activités de la ville.
3. donne des informations sur les spectacles.

Rappelez-vous

1. Donnez un déterminant défini ou indéfini et démonstratif :

a) .... apprenti
b) .... invitation
c) .... pain
d) .... nuits
e) .... déjeuner
f) .... gâteaux
g) .... poivre
h) .... voie

2. Posez les questions :

a) – .... ?
– Nous cherchons le tableau des horaires.
b) – .... ?
– Oui, d'accord, je rappelle vers 13 heures.
c) – .... ?
– Non, je voudrais ce foulard.
d) – .... ?
– Non, elle n'existe plus ; à la place il y a la Colonne de juillet.
e) – .... ?
– Non, le train s'arrête à toutes les gares.

3. Remplacez le mot souligné par un pronom complément :

a) Je prends l'avion demain matin.
....
b) Elle achète les mouchoirs en papier à la pharmacie.
....
c) R. Garros est le premier aviateur qui traversa la Méditerranée.
....
d) Nous préférons les petits hôtels aux grands hôtels.
....

4. Accordez les adjectifs qualificatifs :

a) municipal
1. un panneau ....
2. une affiche ....
3. des toilettes ....

b) joli
1. un .... stylo.
2. cette .... carte postale
3. ces .... lunettes

c) spécial
1. des informations ....
2. un emploi ....
3. des itinéraires ....

Ouvertures

Reliez chaque lieu à sa fonction :

a) La Sorbonne
b) Le Louvre
c) Le Sacré-Cœur
d) L'Hôtel de Ville
e) Le Palais de Chaillot

1. basilique
2. théâtre + musée du cinéma
3. musée
4. université
5. mairie

a)

b)

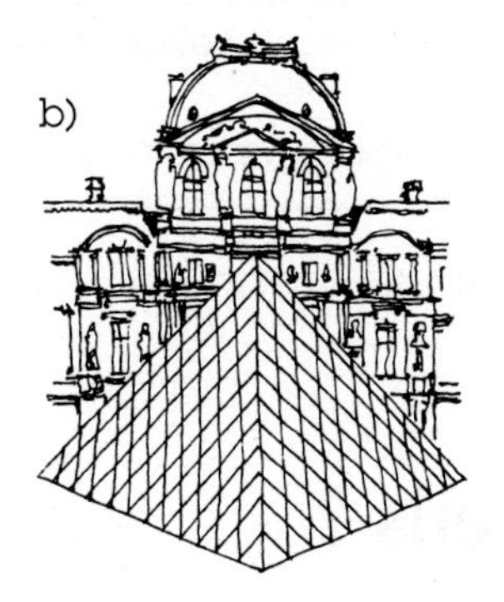

c)

d)

e)

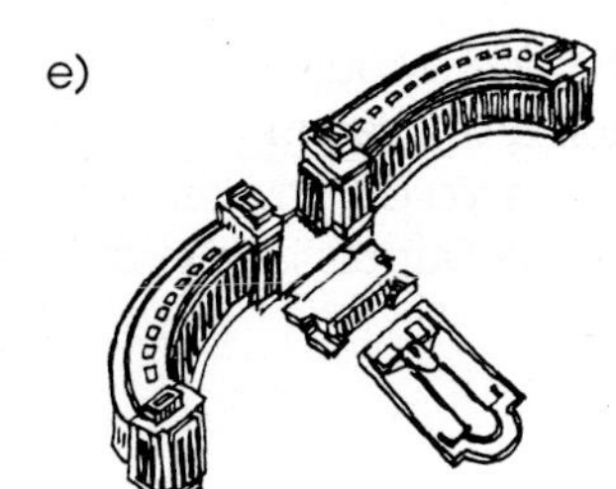

INVITATION

7e épisode

TABLEAU RÉCAPITULATIF DES POINTS DE GRAMMAIRE

— On = nous On = les gens, les personnes	Nous allons au cinéma. **On** va au cinéma. Les gens achètent les timbres à la poste. **On** achète les timbres à la poste.
— **Les adjectifs possessifs** (à moi) : mon, ma, mes.	C'est **mon** (le) sac. Où est **ma** (la) voiture ? Ce sont (les) **mes** clés.
— **Les démonstratifs** : celui-ci, celle-ci, ceux-ci, celles-ci	– Je voudrais un gâteau. – Prenez **celui-ci** ? (masculin) – Je voudrais une glace. – Donnez-moi **celle-ci.** (féminin) – J'achète des chocolats. – Je prends **ceux-ci**. (masculin pluriel) – Donnez-moi ces fleurs – Oui, **celles-ci.** (féminin pluriel)
— **Les verbes au présent** :	Déjeuner, jouer, entrer, oublier, raconter.

Avez-vous bien compris ?

1. Vrai ou faux ?

	V	F
a) M. et Mme Dupuis ont 3 enfants.		
b) Annick a un oiseau.		
c) Françoise va à Paris, elle achète un oiseau.		
d) La famille Dupuis habite à Fontenay-sous-bois.		

2. Le texte ne va pas avec l'image. Retrouvez le texte exact (pp. 79, 80, 81) :

a	b	c	d
M. Dupuis présente sa femme et ses enfants.	Vincent est avec M. Dupuis.	Annick montre les chambres des enfants.	M. Dupuis invite les stagiaires.
....	....	....	....
....	....	....	....

3. Mettez les phrases suivantes dans l'ordre chronologique de l'histoire (de 1 à 4) :

a) ☐ Ce n'est pas lui Cui-cui. C'est lui !
b) ☐ L'oiseau s'est envolé !
c) ☐ Nous venons à quelle heure ?
d) ☐ Là, c'est ma chambre et là, c'est la chambre de mon frère.

4. Complétez :

a) Françoise et moi, ... part à 7 heures.

b) Elles .... des photos.

c) Mme Dupuis est la .... d'Annick et de Serge.

5. Retrouvez les lieux :

Image n° 6 : Où sont Vincent et Françoise ?

....

Image n° 8 : Où est Françoise ?

....

Retrouvez l'action :

Image n° 7 : Que font Françoise et les enfants ?

....

Image n° 13 : Que font la famille Dupuis, Vincent et Françoise ?

....

6. Qui parle ? À qui ?

a) Merci, elles sont superbes ....

b) Je vais le chercher. ....

c) J'arrive dans 5 minutes. ....

d) Je voudrais aussi une petite cage. ....

7. Répondez aux questions avec des phrases :

a) Vincent et Françoise apportent-ils quelque chose chez M. et Mme Dupuis ?

....

b) Pourquoi Vincent achète-t-il un oiseau ?

....

Exercez-vous

1. Remplacez les mots soulignés par un pronom personnel :

a) Ces fleurs sont superbes ....

b) Vincent et Françoise sont prêts. ....

c) Les photos sont dans la voiture. ....

d) Les magasins ferment à 8 heures. ....

2. Mettez le verbe au présent de l'indicatif :

a) déjeuner. Vous .... avec nous ?

b) jouer. Tu .... au ballon ?

c) oublier. J'ai .... les fleurs dans la voiture.

d) entrer. Françoise et Vincent .... dans le salon.

e) raconter. .... -moi votre voyage à Paris !

f) montrer. Ils .... les photos à Mme Dupuis.

g) apporter. Tu nous .... le journal ?

3. Reliez les deux parties de la phrases :

a) Nous venons	1. l'oiseau dans la cage.
b) C'est la chambre	2. les cigarettes.
c) Toi, tu restes ici,	3. de mon frère.
d) Vincent remet	4. à quelle heure ?
e) J'ai oublié	5. moi, je vais à Paris.

4. Complétez avec « nous » ou « on » :

a) .... va dans le jardin ?
b) .... sommes stagiaires.
c) C'est l'heure ! .... mange.
d) Vincent et moi, ... rentre à la maison.
e) .... prenons un café.

5. Complétez avec un possessif :

a) Ce sac est à moi. C'est .... sac.
b) .... carte d'identité est à la réception de l'hôtel.
c) J'ai oublié .... billet au guichet de la gare.
d) Je n'ai pas .... clés.
e) J'ai réservé .... place.

6. Complétez avec un démonstratif :

a) Les fleurs sont superbes ! Donnez-moi .... !
b) C'est un avion français. .... est japonais.
c) Je voudrais une carte postale. Non, pas ....
d) Je voudrais des chocolats. Je prends ....

7. Complétez :

a) Vous avez .... chocolats ?
b) Les enfants jouent .... ballon.
c) Vincent est dans le salon. Je vais .... chercher.
d) ...., tu restes ici, ..., je vais au bureau.
e) Vincent .... l'oiseau dans la cage.

8. Trouvez la question :

a) .... ? J'ai oublié les photos au bureau.
b) .... ? Nous sommes d'accord.
c) .... ? Ces fleurs sont pour vous.
d) .... ? Je prends un jus de fruit.
e) .... ? Cet oiseau est à moi.
f) .... ? Ce foulard vaut 200 francs.

Des mots en plus

ADVERBES DE TEMPS

Cherchez la traduction dans votre dictionnaire

avant
au début
au commencement
à la fin
après

ce matin
à midi
cet après-midi
ce soir
cette nuit

jamais
parfois
chaque fois
maintenant
cette fois-ci
souvent
toujours
depuis

1. Complétez avec les mots suivants : après, depuis, ce matin, jamais, parfois

.............................., l'oiseau d'Annick était vert, puis .... le repas, il est devenu bleu. « .... je n'ai vu cela .... que j'ai des oiseaux ! .... je me demande où je suis ! » dit M. Dupuis.

2. Faites une phrase avec les adverbes de temps suivants :

a) aujourd'hui ....
b) maintenant ....
c) toujours ....

3. Complétez avec un adverbe de temps en choisissant dans la liste ci-dessus :

a) .... samedi, je suis malade.
b) Elles font .... des photos pour le magazine « Elle ».
c) On vient à quelle heure .... ?
d) J'ai mal dormi ....

4. Reliez l'expression de temps au verbe :

a) Hier,
b) À midi,
c) Demain,
d) Aujourd'hui,

1. je déjeune chez les Dupuis.
2. je suis allé au cinéma.
3. il n'y a pas de TGV.
4. je vais à Orly.

5. Que pouvez-vous offrir ?

a) Je suis invité(e) chez des amis,
1. du champagne
2. des fleurs (envoyées le lendemain)

b) Je suis invité(e) pour la 1re fois
1. un dessert
2. un bouquet de fleurs.

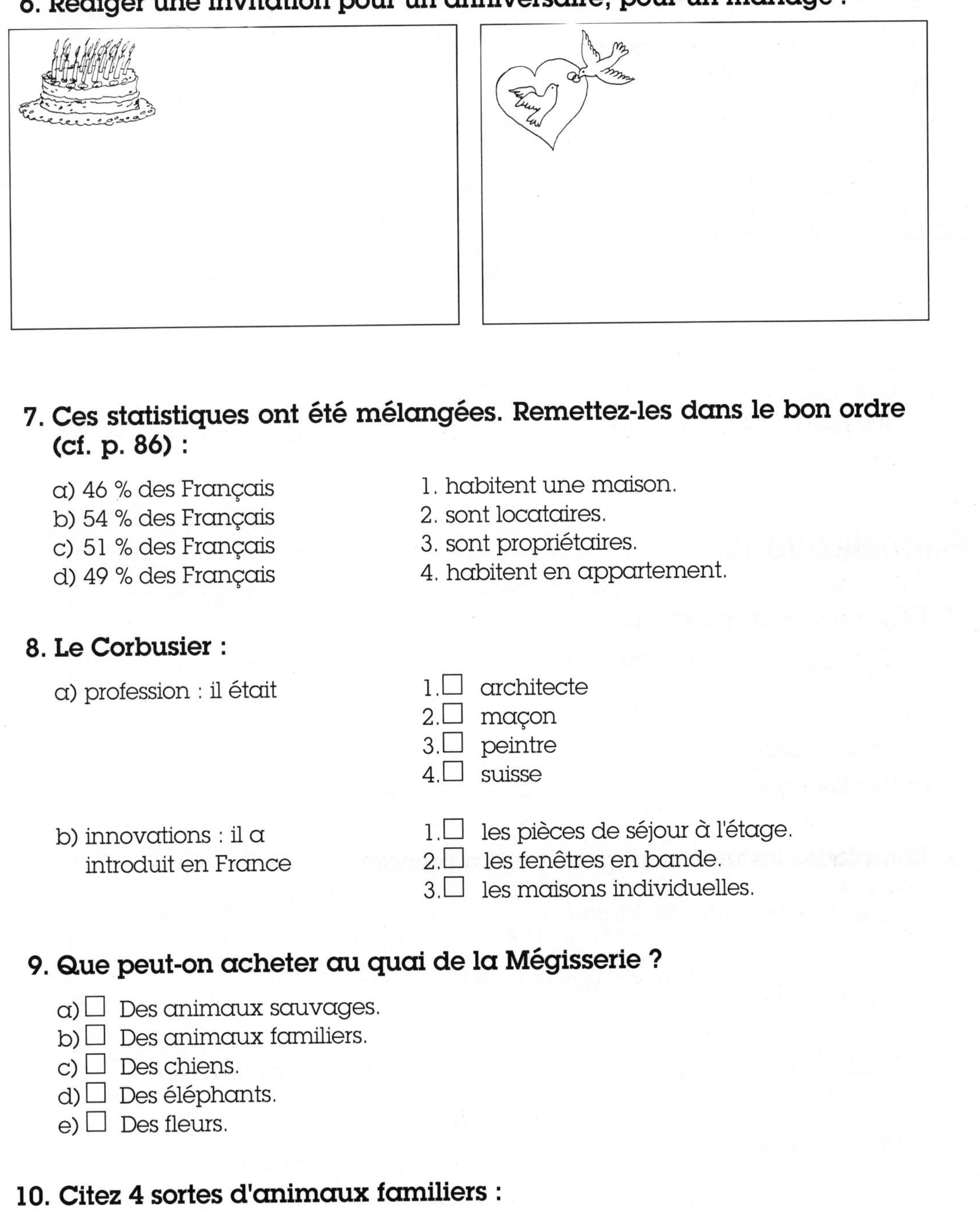

6. Rédiger une invitation pour un anniversaire, pour un mariage :

7. Ces statistiques ont été mélangées. Remettez-les dans le bon ordre (cf. p. 86) :

a) 46 % des Français	1. habitent une maison.
b) 54 % des Français	2. sont locataires.
c) 51 % des Français	3. sont propriétaires.
d) 49 % des Français	4. habitent en appartement.

8. Le Corbusier :

a) profession : il était
1. ☐ architecte
2. ☐ maçon
3. ☐ peintre
4. ☐ suisse

b) innovations : il a introduit en France
1. ☐ les pièces de séjour à l'étage.
2. ☐ les fenêtres en bande.
3. ☐ les maisons individuelles.

9. Que peut-on acheter au quai de la Mégisserie ?

a) ☐ Des animaux sauvages.
b) ☐ Des animaux familiers.
c) ☐ Des chiens.
d) ☐ Des éléphants.
e) ☐ Des fleurs.

10. Citez 4 sortes d'animaux familiers :

....

....

....

11. Complétez les phrases avec le participe passé du verbe :

a) abandonner. Les propriétaires ont .... ces animaux.

b) créer. On a .... des organisations pour les protéger.

c) acheter. On a .... des fleurs pour nos amis.

d) imposer. Le Corbusier s'est .... comme un maître en architecture.

12. Qui est Brigitte Bardot ?

	V	F
a) une chanteuse		
b) une actrice		
c) une sportive		
d) une célébrité		
e) une journaliste		

Rappelez-vous

1. Répondez aux questions :

a) À qui est-ce ? ....

b) Pour qui est cette chambre ? ....

c) As-tu rendez-vous avec elle ? ....

d) Où téléphone-t-il ? ....

2. Remplacez les mots soulignés par un pronom :

Vincent téléphone à M. Martin.

a) ....

Les animaux sont abandonnés.

b) ....

Brigitte Bardot, célèbre actrice, se bat pour la protection des animaux.

c) ....

Ils mangent les frites.

d) ....

Vous connaissez bien François et Vincent ?

e) ....

Je vous présente mon oncle.

f) ....

Vous n'acceptez pas les cartes ?

g) ....

Vincent donne le plan de Paris à Martine.

h) ....

3. Complétez le tableau :

Féminin	Masculin
a) une sœur	....
b)	un oncle
c)	celui-ci
d) ma	....
e) elles	....
f)	un acteur

4. Mettez les verbes à l'infinitif :

a) Vous connaissez ....
b) Tu peux ....
c) Ils indiquent ....
d) Tu vas ....
e) Il est ouvert ....
f) Ils font ....
g) J'ai appris ....
h) Nous prenons ....

5. Répondez à la forme négative :

a) Est-ce que ce TGV va à Lyon ?

....

b) Prenez-vous cette glace ?

....

c) Aimez-vous cette maison ?

....

d) Est-ce que les *situ* sont des distributeurs de billets ?

....

e) Vous connaissez cette actrice ?

....

f) Prenez-vous un jus de fruit ?

....

Ouvertures

Que disent-elles ?

© P.B. Soulier / Archives Hatier

Poème de Pierre Menanteau

S'il était le plus laid
De tous les chiens du monde
Je l'aimerais encore
À cause de ses yeux.

Si j'étais le plus vieux
De tous les vieux du monde
L'amour luirait encore
Dans le fond de ses yeux.

Et nous serions tous deux
Lui si laid, moi si vieux,
Un peu moins seuls au monde
À cause de ses yeux.

© Pierre Menanteau

PARIS LUXE

8e épisode

TABLEAU RÉCAPITULATIF DES POINTS DE GRAMMAIRE

— **L'article partitif dans une phrase affirmative :** du, de la, de l'	– Qu'est-ce que vous prenez ? – Je prends **du** café. – Que prenez-vous ? – Je prends **de la** salade. – Vous prenez de l'eau minérale ? – Oui, je prends **de l'**eau minérale, merci.
— **L'article partitif dans une phrase négative :** pas de	Je n'aime pas **le** thé. Je ne prends **pas de** thé.
— **Pouvoir :** demander un service demander la permission exprimer une possibilité	 Pouvez-vous réparer le téléphone ? Je peux sortir à 8 heures aujourd'hui ? L'hôtelier peut refuser votre chien.
— **Faire :**	Vous faites quelle taille ? Je fais les courses depuis ce matin.
— **Aller :** (pour un vêtement)	 Cette veste vous va très bien.
— **Verbes au présent :**	Servir, plaire, essayer.

Avez-vous bien compris ?

1. Vrai ou faux ?

	V	F
a) Vincent travaille à l'hôtel Concorde depuis dix jours.		
b) Brigitte Bonneuve et Vincent ont fait tous les magasins.		
c) Vincent a passé une bonne journée.		
d) Brigitte Bonneuve invite Françoise au théâtre.		

2. Le texte ne va pas avec l'image. Retrouvez le texte exact (pp. 91, 92, 93) :

a	b	c	d
Vincent est fatigué.	Vincent porte les paquets à l'hôtel.	Françoise et B. Bonneuve boivent le thé.	Françoise et B. Bonneuve vont dans un salon de thé.
....	....	....	....
....	....	....	....

3. Mettez les phrases suivantes dans l'ordre chronologique de l'histoire (de 1 à 4) :

a) ☐ Vous avez passé une bonne journée ?
b) ☐ Du thé, mais pas de lait et pas de sucre.
c) ☐ Dites à Françoise de venir me voir.
d) ☐ Elle est très belle aussi. Et ce sac ?

4. Complétez :

a) Elle ne choisit pas une jupe unie, elle choisit une jupe ....

b) Le chemisier rouge vous .... très bien.

c) Quelle taille .... -vous ?

5. Retrouvez les lieux :

Image n° 3 : Où sont B. Bonneuve et Vincent ?

....

Image n° 7 : Où sont B. Bonneuve, Françoise et Vincent ?

....

Retrouvez l'action :

Image n° 11 : Que fait Vincent ?

....

Image n° 3 : Que fait Vincent ?

....

6. Qui parle ? À qui ?

a) Tu arrives dans 20 minutes ? Très bien, merci. ....
b) Je vous sers ? ....
c) Vous convenez très bien pour ce travail. ....
d) Que désirez-vous ? ....

7. Répondez aux questions :

a) Est-ce que Vincent trouve qu'une valise à 7 000 F n'est pas une valise chère ?
....
b) Françoise aime la tarte à la crème ?
....
c) Vincent a passé une bonne journée avec B. Bonneuve ?
....

Exercez-vous

1. Complétez avec un article partitif :

a) Je voudrais .... café avec .... crème.
b) Je bois .... eau minérale.
c) Je prends .... pain et .... confiture.

2. Complétez avec un article partitif (phrase négative) :

a) Je ne veux .... alcool.
b) Je ne prends .... fruit.
c) Vous ne désirez .... café ?

3. Mettez le verbe au présent de l'indicatif :

a) servir.	Il y a du thé !	....	-moi, s'il vous plaît !
b) accompagner.	Je vous	....	au cinéma.
c) aimer.	J'	....	bien le chocolat ?
d) plaire.	Ce manteau me	....	
e) prendre.	Tu	....	de la crème ?
f) essayer.		....	cette jupe !

4. Reliez les deux parties de la phrase :

a) Vous travaillez ici
b) Nous avons fait
c) Vous pouvez partir
d) Je veux voir
e) Ça m'a

1. si vous voulez.
2. fait plaisir.
3. depuis combien de temps ?
4. tous les magasins.
5. cette valise.

5. Complétez avec le verbe « pouvoir » :

a) .... -vous porter ces paquets ?

b) Je .... fermer la fenêtre ?

c) Elle .... refuser de vous accompagner.

6. Complétez avec le verbe « faire » :

a) Tu .... les courses avec moi aujourd'hui ?

b) Elle aime bien .... la cuisine.

c) Quelle taille .... -vous ?

d) Ils .... un voyage à Nice.

7. Complétez avec le verbe « aller » :

a) Comment .... -tu ? Je .... bien.

b) Où .... -vous ? Nous .... au Louvre.

c) Cette couleur vous .... bien.

8. Trouvez la question :

a) .... ? Vincent va dans les magasins avec Brigitte Bonneuve.

b) .... ? Je voudrais un foulard en soie.

c) .... ? Je suis à Paris depuis ce matin.

d) .... ? Ce sac vaut 1 000 francs.

e) .... ? Nous sommes à la gare.

Des mots en plus

LES VÊTEMENTS

Cherchez la traduction dans votre dictionnaire :

le coton
la fourrure
la laine
la soie
la toile

une ceinture
un chapeau
une chaussette
une chemise de nuit
le col
la doublure
un gilet
un imperméable
la manche
un pyjama

(se) déshabiller
enlever ôter
essayer
(s')habiller
mettre
porter un vêtement

1. Accordez les adjectifs si c'est nécessaire :

a) Un manteau noir..........
b) Une veste bleu..........
c) Des manteaux noir..........
d) Des vestes noir..........
e) La doublure blanc..........
f) Les chaussettes vert..........
g) Un pyjama uni..........
h) Des chemises de nuit uni..........

2. Reliez le nom à sa définition :

a) un imperméable
b) la soie
c) chapeau

1. se met sur la tête
2. manteau contre la pluie
3. tissu fin importé de Chine

3. Conjuguez le verbe au présent de l'indicatif :

Le matin je (s'habiller) ...., le soir je (se déshabiller) .... Je (enlever) .... mes vêtements puis je (se mettre) .... au lit.

4. Complétez : chaussettes, cher, essayé, fourrure, une robe, vêtements.

Hier, dans un magasin de ...., j'ai .... des pantalons, ... et un manteau de .... Pour finir, j'ai acheté une paire de .... car tout était trop ....

5. Recherchez les définitions :

a) soldes
b) vêtements haute-couture
c) prêt-à-porter

1. vêtements coupés selon des mesures normalisées
2. vêtements à prix réduit
3. vêtements de grandes marques

6. Remplacez les mots soulignés par un mot ou une expression synonymes :

a) Des solutions plus économiques ....

b) Magasins de soldes permanents. ....

c) C'est la période des soldes. ....

d) Ils vendent leurs articles. ....

7. Donnez une définition :

a) Une réduction ....

b) La taille ....

c) Une collection ....

8. Retrouvez le style : *prêt-à-porter – haute couture.*

9. Donnez la génération de couturiers :

	ancienne génération	nouvelle génération
a) Lacroix		
b) Lanvin		
c) Gaultier		
d) Givenchy		
e) Yamamoto		

Rappelez-vous

1. Remplacez les mots soulignés par un pronom complément :

a) Vous pouvez fermer la porte, s'il vous plaît ?

....

b) Il achète deux tickets de métro.

....

c) Le réceptionniste change l'ampoule dans la chambre du client.

....

d) Vincent remet l'oiseau dans sa cage.

....

e) Je prends le train de 7 h 45.

....

f) Ils font leurs achats au marché aux Puces.

....

g) Vous cherchez l'hôtel du Midi dans cette rue ?

....

2. Accordez les groupes nominaux :

a) les / robe / court / ....

b) ta / beau / jupe / ....

c) le / petit / gilet / ....

d) cette / joli / ceinture ....

e) les / ticket / jaune / ....

3. Mettez les verbes au présent de l'indicatif :

a) appeler. François et Vincent .... un taxi.

b) acheter. La secrétaire .... des tickets de métro.

c) plaire. Cette robe .... à Daniel.

d) servir. Le garçon .... les clients.

e) être. C' .... la période des soldes.

f) faire. Vous .... partir Martine en avion.

4. Remplacez le nom par un pronom complément en répondant aux questions :

a) Cette robe, c'est pour Martine ?

....

b) Ce verre d'eau, c'est au client ?

Non, ...

c) Ce stylo est à Daniel ?

Non, ...

d) Ces modèles sont de Chanel ?

....

e) Ce chapeau est d'Yves Saint-Laurent ?

....

5. Mettre ces phrases au pluriel :

a) Cette robe coûte 895 F.

....

b) L'oiseau s'envole de la cage.

....

c) Ce jeune Allemand regarde l'avion.

....

d) Tu joues avec le chien.

....

e) Je suis photographe de mode.

....

Ouvertures

1. Charades

Mon premier est un animal familier
Mon deuxième est une consonne
Mon troisième est un pronom sujet singulier
Mon tout est un grand couturier Français. Qui est-ce ?

2. Décrivez l'un de ces trois dessins :

© Anne-Marie Beretta

© Dessin Paul Isola pour un modèle Yves St-Laurent

© Dessin Paul Isola Marie France

DÉJEUNER CHEZ LE NÔTRE

9e épisode

TABLEAU RÉCAPITULATIF DES POINTS DE GRAMMAIRE

— **Les articles partitifs :** du, de la, des	Je voudrais **du** (le) jambon. Donnez-moi **de la** salade ! Je prends **des** pommes de terre.
— **Avoir faim :**	Je n'ai pas très faim.
— **Avoir de l'argent :**	Je n'ai pas assez d'argent.
— **Les verbes au présent :**	Lire, conseiller, manquer.

Avez-vous bien compris ?

1. Vrai ou faux ?

	V	F
a) Vincent réserve une table pour deux personnes.		
b) Il y a les prix sur la carte de Françoise.		
c) Vincent a très faim.		
d) Vincent a assez d'argent pour payer l'addition.		

2. Le texte ne va pas avec l'image. Retrouvez le texte exact (pp. 103, 104, 105) :

a	b	c	d
Vincent a assez d'argent.	Vincent invite Françoise à déjeuner.	Vincent et Françoise commandent un apéritif.	Vincent demande de l'argent à Pierre .
....	....	....	....
....	....	....	....

3. Mettez les phrases suivantes dans l'ordre chronologique de l'histoire de (1 à 4) :

a) Je n'ai pas assez d'argent, tu peux me prêter 100 francs ?
b) C'est difficile, il y a beaucoup de restaurants.
c) Je n'ai pas très faim.
d) Pour commencer, du foie gras.

4. Complétez

a) Je t'invite .... déjeuner aujourd'hui.

b) C'est une table .... fenêtres.

c) Je n'ai pas assez d'argent. Tu peux me .... 100 francs !

5. Retrouvez les lieux :

Image 5 : Où sont Vincent et Françoise ?

....

Image 12 : Où sont Vincent et Françoise ?

....

Retrouvez l'action :

Image 1 : Que fait le directeur ?

....

Image 6 : Que font Vincent et Françoise ?

....

6. Qui parle ? À qui ?

a) Ah ! tu m'invites, d'accord. ....

b) La table de M. Dubois. ....

c) L'addition, s'il vous plaît. ....

d) La prochaine fois, je t'invite ici. ....

7. Répondez aux questions par une phrase complète :

a) Françoise accepte-t-elle l'invitation de Vincent ?

....

b) C'est facile de choisir un restaurant ?

....

c) À qui Vincent demande-t-il de l'argent ?

....

Exercez-vous

1. Complétez avec un article :

a) Pour commencer, je voudrais .... crudités.

b) Vous avez .... tarte aux pommes ?

c) Donnez-moi .... poisson, s'il vous plaît.

2. Complétez :

a) Nous n'avons .... fromage.

b) Elle ne prend .... lait dans son café.

c) Je ne bois .... eau minérale.

3. Mettez le verbe au présent de l'indicatif :

a) lire. Vous................................. la carte !

b) conseiller Je vous .... le poisson.

c) manquer. Il me .... du pain.

4. Reliez les deux parties de la phrase :

a) Il y a	1. au chef.
b) Une table avec vue	2. vous me conseillez ?
c) Qu'est-ce que	3. beaucoup de restaurants.
d) Les prix ne sont pas	4. sur le jardin.
e) Je vais demander	5. sur ma carte.

5. Complétez avec le verbe « avoir » :

a) Vous n'................ pas faim ce soir ?

b) J'.......... assez d'argent pour acheter ce disque.

6. Complétez avec un démonstratif :

a) .... desserts ne sont pas bons.

b) La vendeuse conseille à.................... dame de prendre un foulard de soie.

c) .... manteau est très beau.

d) .... avion va à New York.

7. Complétez avec un possessif :

a) Ce n'est pas .... voiture.

b) Donnez-moi .... sac !

c) .... enfants sont dans le jardin.

8. Trouvez la question :

a) .... ? Oui, il y a de la crème fraîche dans cette sauce.

b) .... ? Oui, nous avons des fruits frais.

c) .... ? Non, merci, nous ne buvons pas d'alcool.

Des mots en plus

REPAS : EXPRESSIONS

Cherchez la traduction dans votre dictionnaire :

l'eau bout
le couvert
des œufs à la coque
des œufs durs
avoir de l'appétit
bouillir
descendre dans un hotel
essuyer la vaisselle
laver la vaisselle
prendre un repas
préparer un repas
Servez-vous, je vous prie

1. Complétez avec les mots et expressions suivants : sers-toi – allons – les entrées – commandons – faim.

Daniel m'invite au restaurant : nous .... au Terminus . Nous .... 2 menus car j'ai .... Le serveur nous apporte .... Daniel me dit : « .... et bon appétit ! ».

2. Donnez un synonyme à chaque expression :

a) Avoir faim. ....

b) Arriver dans un hôtel. ....

c) Faire la vaisselle. ....

3. Est-ce gratuit dans un restaurant français ?

	oui	non
a) le pain		
b) le vin		
c) la carafe d'eau		
d) les couverts		

4. Donnez la définition du mot pourboire :

....

....

5. À qui donne-t-on des pourboires en France ?

....

....

....

6. Reliez les renseignements :

a) Lasserre
b) La Tour d'Argent
c) Les Beaux-Arts

1. est un petit bistrot.
2. a la meilleure carte des vins.
3. a créé la fourchette.

7. Citez 4 recettes à base d'œuf : (voir cartes pp. 110-111)

– .... – ....
– .... – ....

Citez 2 entrées froides :

– .... – ....

Citez 2 desserts :

– .... – ....

Rappelez-vous

1. Donnez les déterminants (indéfinis) :

a) .... saumon
b) .... langouste
c) .... œuf
d) .... melon
e) .... volaille
f) .... fromage
g) .... viande
h) .... salade

2. Classez les noms suivants dans le tableau :

du champagne – du canard – des crudités – du saumon fumé – du Chinon – un carré d'agneau – des belons – du jambon cru – des carottes rapées – des filets de sole – un muscat.

entrées	plat principal	boissons
....	....	....
....	....	....
....	....	....
....	....	....
....	....	....
....	....	....

3. Posez les questions :

a) – .... ?
  – À la carte.

b) – .... ?
  – Des œufs mayonnaise.

c) – .... ?
  – Des œufs à la neige.

d) – .... ?
  – Des carottes, des petits pois et des pommes de terre coupés en petits morceaux.

4. Qu'est-ce que c'est ?

a) Du bœuf avec des carottes	1. Une tarte.
b) Des escalopes de veau farcies au jambon ou à la farce	2. Un bœuf-mode.
c) Un fond de pâte avec des fruits	3. Des paupiettes de veau
d) Des pommes de terre écrasées	4. De la purée

5. Complétez avec l'adjectif et accordez-le :

a) cher	une cravate	
b) beau	de .... couteaux.	– une .... nappe.
c) gentil	une .... serveuse.	
d) bon	de .... repas.	– une .... table.

Ouvertures

Les blagues du jour

Au restaurant.

Après un copieux (bon) repas, un couple demande l'addition. Le Monsieur l'épluche (la regarde bien) et appelle le garçon :
« Je vois : vin = 120F, c'est sûrement une erreur, nous n'avons bu que de l'eau ! ».
« Excusez-moi, Monsieur, je vais rectifier (changer) ».
Et sur l'addition rectifiée, le client peut lire « Eau, 120 F ».

Au restaurant.

M. Dupont – Ma chérie, connaissez-vous la différence entre du caviar et des radis ?
Mme Dupont – Non, pas du tout !
M. Dupont – Alors, garçon, servez-nous deux radis-beurre !

RENDEZ-VOUS

10e épisode

TABLEAU RÉCAPITULATIF DES POINTS DE GRAMMAIRE

— **Le comparatif de supériorité :**	
plus + adjectif + que	Ce manteau est **plus** beau **que** cette veste.
plus + adverbe + que	L'avion va **plus** vite **que** le train.
verbe + plus que	Vous travaillez **plus que** votre frère.
plus de + nom	Mangez **plus de** fruits !
— **Le comparatif d'infériorité :**	
moins + adjectif + que	Ce chemisier est **moins** cher **que** celui-ci.
moins + adverbe + que	Le rouge vous va **moins** bien **que** le bleu.
verbe + moins que	Cette salade me plaît **moins que** l'autre.
moins de + nom	Il y a **moins de** clients dans ce magasin.
— **Trop + adjectif**	Ce poisson est **trop** gras.
trop + adverbe	Vous parlez **trop** vite.
trop de + nom	Il y a **trop de** touristes dans cette ville.
— **Assez + adjectif** (pas assez)	L'hôtelier n'est **pas assez** poli.
assez / pas assez } + adverbe	Elle roule **assez** lentement.
assez de / pas assez de } + nom	Je n'ai **pas assez d'**argent pour acheter ce foulard.
— **Comment demander :**	Pouvez-vous me prêter 100 francs ? Prêtez-moi 100 francs !
— **L'interrogation :**	Vincent a un frère **?** **Est-ce que** Vincent a un frère ? Vincent **a-t-il** un frère ?
— **Verbe au présent :**	Mettre.

Avez-vous bien compris ?

1. Vrai ou faux ?

	V	F
a) Françoise veut une toque plus grande.		
b) Le chef de cuisine montre comment préparer un plat.		
c) Vincent veut faire le même plat pour ses parents.		
d) Les parents trouvent le plat très bon.		

2. Le texte ne va pas avec l'image. Retrouvez le texte exact (pp. 115, 116, 117) :

a	b	c	d
Le chef fait la cuisine.	Vincent invite Françoise chez ses parents.	Les parents mangent le plat de Vincent.	Les parents ont fini de manger.
....	....	....	....
....	....	....	....

3. Mettez les phrases suivantes dans l'ordre chronologique de l'histoire (de 1 à 4) :

a) ☐ Asseyez-vous, c'est prêt dans 5 minutes.
b) ☐ Donnez-moi une casserole.
c) ☐ Ne t'inquiète pas, je vais arranger ça tout de suite.
d) ☐ Non, il n'y a pas assez d'huile.

4. Complétez :

a) C'est prêt .... 5 minutes.

b) Il faut .... une solution.

c) Ce foulard est .... soie ?

d) Il n'y a pas assez de sel. Il faut .... du sel.

5. Retrouvez les lieux :

Image n° 2 : Où sont les stagiaires ?

....

Image n° 7 : Où sont Vincent et Françoise ?

....

Retrouvez l'action :

Image n° 7 : Que fait Françoise ?

....

Image n° 9 : Que fait Vincent ?

....

6. Qui parle ? À qui ?

a) Oui, c'est facile. ....

b) On a préparé un dîner... Tout est raté. ....

c) Vous êtes formidables ! ....

d) Est-ce que les légumes sont assez cuits ? ....

7. Répondez aux questions avec des phrases :

a) Le plat du chef de cuisine est-il difficile à préparer ?

....

b) Est-ce que Vincent fait bien la cuisine ?

....

c) Les parents de Vincent sont-ils contents ?

....

Exercez-vous

1. Mettez « plus que » ou « plus de » :

a) Le pain du boulanger est .... frais .... celui du super-marché.

b) Mettez .... sel dans la sauce !

c) Vincent coupe les légumes .... vite .... Françoise.

d) Au restaurant, vous mangez .... chez vous.

2. Mettez « moins que » ou « moins de » :

a) Elle a .... amis.

b) Le bus du soir va .... vite .... celui du matin.

c) Vous travaillez .... votre père.

d) Ce gâteau est .... sucré .... cette glace.

3. Mettez le verbe au présent (indicatif – impératif) :

a) avoir. Il n'y .... pas de fromage.

b) donner. .... -moi du pain s'il te plaît.

c) mettre. Tu .... trop de sel dans la soupe.

d) prendre. Ils .... le bus à 18 heures.

4. Reliez les deux parties de la phrase :

a) Vous faites cuire	1. sur le feu.
b) On met la casserole	2. ce couteau ?
c) Il faut mettre	3. doucement.
d) Le magasin ouvre	4. plus de sucre.
e) Pouvez-vous me changer	5. à quelle heure ?

5. Mettez « trop » ou « trop de » :

a) Cette voiture va .... lentement.

b) Vous avez .... travail.

c) Cette jupe est .... chère.

6. Mettez « assez/pas assez » ou « assez de/pas assez de » :

a) Il y a .... crème fraîche dans cette sauce.

b) Ces gâteaux sont .... sucrés.

c) Vous n'avez .... eau dans la carafe.

d) Vous ne mangez ....

7. Complétez avec le verbe « mettre » :

a) Je .... la table pour quatre personnes.

b) Ne .... pas trop de sel dans votre plat.

8. Demandez d'une autre manière :

Aide-moi à réparer ma bicyclette.

....

9. Trouvez la question :

a) .... ? Voilà le numéro de téléphone de Robert.

b) .... ? Oui, Vincent a une voiture.

c) .... ? D'accord, je rappelle plus tard.

Des mots en plus

LES ADJECTIFS APPRÉCIATIFS

Cherchez la traduction dans votre dictionnaire

affreux	engageant	gracieux	regrettable
agréable	épatant	horrible	remarquable
attirant	étonnant	irritant	séduisant
attrayant	excellent	misérable	surprenant
distingué	fâcheux	pitoyable	terrible
effrayant	fameux	ravissant	

1. Reliez les synonymes :

a) joli	1) fameux
b) bon	2) fâcheux
c) attirant	3) ravissant
d) étonnant	4) surprenant
e) irritant	5) attrayant

2. Retrouvez les verbes qui correspondent aux adjectifs :

a) séduisant ....

b) regrettable ....

c) effrayé ....

d) engagé ....

3. À quoi peut-on associer ces adjectifs ?

a) agréable
1. ☐ à une personne
2. ☐ à un lieu

b) fameux
1. ☐ à une personne
2. ☐ à un lieu
3. ☐ à un plat

c) regrettable
1. ☐ à une personne
2. ☐ à un événement

d) fâcheux
1. ☐ à un incident
2. ☐ à un lieu
3. ☐ à une personne

e) attirant
1. ☐ à un lieu
2. ☐ à un événement
3. ☐ à une personne

4. Trouvez l'adjectif qui correspond au nom. Vérifiez dans votre dictionnaire :

a) La surprise. ....

b) La séduction. ....

c) L'horreur. ....

d) La frayeur. ....

5. Quels sont les ingrédients que vous prendriez pour faire une quiche lorraine ?

a) une pâte sablée
b) une pâte brisée
c) des oignons
d) du lard
e) des œufs
f) des carottes
g) de la crème
h) de l'ail

6. Quels sont les légumes que vous utilisez pour un pot-au-feu ?

....

....

7. D'où vient la bouillabaisse ?

C'est une spécialité :

a) ☐ auvergnate (Auvergne)
b) ☐ provençale (Provence)
c) ☐ lorraine (Lorraine)
d) ☐ aquitaine (Aquitaine)

8. Rayez l'intrus :

a) poivre – sel – safran – tomate.
b) pommes de terre – riz – pain – carottes.
c) haricots verts – carottes – pommes – petits pois.

9. Donnez la définition du mot « traîteur » :

....

10. Citez 4 grands traîteurs parisiens :

....

....

Rappelez-vous

1. Accordez les adjectifs qualificatifs :

a) italien des pizzas ....
b) breton des crêpes ....
c) bourguignon un bœuf ....
d) sec une saucisse ....

2. Posez les questions :

a) – .... ?

– Non, je n'aime pas ça.

b) – .... ?

– Oui, je t'attends.

c) – .... ?

– Je suis désolé, tout est complet.

d) – .... ?

– C'est un peu fade.

3. Complétez avec les verbes suivants : *Faire – battre – préchauffer – laisser – commencer – ajouter – mélanger.*

.... le four thermostat n° 6 (180° C). .... fondre le beurre dans une petite casserole, ...-le refroidir complètement puis .... à préparer la pâte : dans un grand saladier, ... les oeufs avec le sucre vanillé. ....la farine, le beurre fondu et enfin le lait. ....pendant quelques minutes pour obtenir une belle pâte lisse et homogène.

4. Classez les noms suivants : *melons – pommes – abricots – poireaux – coings – carottes – haricots – poires – mirabelles – tomates – choux – navets – prunes – cerises.*

fruits	légumes
....	....
....	....
....	....
....	....
....	....
....	....
....	....
....	....

5. Mettez les verbes au présent de l'indicatif :

Pour la pâte, je .... (mélanger) la farine, l'eau, le sel et le jaune d'oeuf. Puis je .... (laisser) reposer. Ensuite je .... (couper) le lard en morceaux puis je les .... (faire) cuire. J' .... (étendre) la pâte et je .... (garnir) le moule avec la pâte et la préparation, je .... (mettre) au four.

Ouvertures

Dicton : *Si le soir des Rois le temps est clair, l'été sera sec.*

Le 7 janvier, c'est l'Épiphanie. On mange une galette où se trouve une fève ; celui qui trouve la fève est le roi. Dans le Nord les épiciers offrent une bougie.

Proverbe : *Février de tous les mois est le plus court et le moins courtois.*

Le 2 février, c'est la Chandeleur : on fait des crêpes.
En Limousin on doit lancer la première crêpe sur le sommet de l'armoire où elle reste un an !
En Bretagne, on évite de se marier ce jour-là : ça porte malheur !

Dicton : *Quand pour la Chandeleur le soleil est brillant, il fait plus froid après qu'avant.*

Dictons : © lexis, larousse

LE SAC À MAIN

11e épisode

TABLEAU RÉCAPITULATIF DES POINTS DE GRAMMAIRE

— **Le passé composé :** présent de « avoir » + participe passé	J'**ai travaillé** avec Vincent. J'**ai bu** de l'eau minérale. J'**ai choisi** cette jupe. Elles **ont cherché** François.
— **Le passé composé :** présent de « être » + participe passé	
avec les verbes de mouvement	Elle **est partie** ce soir. Je **suis allée** à Paris. Ils **sont restés** à la maison.
avec les verbes pronominaux (se rappeler, se lever) :	Il ne s'**est** pas **rappelé** son nom. Elle s'**est levée** à 7 heures du matin.
— **Quelques participes passés irréguliers :**	avoir – eu, voir – vu, dire – dit, être – été venir – venu, pouvoir – pu, mettre – mis, naître – né lire – lu, vouloir – voulu, prendre – pris, faire – fait
— **Les adjectifs possessifs :** masculins : mon, ton, son	– C'est **ton** frère ? – Oui, c'est **mon** frère. – C'est le directeur de Jacques ? – Oui, c'est **son** directeur.
féminins : ma, ta, sa	– J'attends **ma** mère. – **Ta** mère ? Mais elle est déjà arrivée. – C'est la petite soeur de Monique ? – C'est **sa** petite soeur.
votre	Vous avez perdu **votre** sac ? Le voici.

Avez-vous bien compris ?

1. Vrai ou faux ?

	V	F
a) Françoise a un billet d'avion pour Cannes.		
b) Françoise doit 240 francs au chauffeur de taxi.		
c) L'hôtesse garde la petite fille.		
d) Le chauffeur de taxi ne rapporte pas le sac de Françoise.		

2. Le texte ne correspond pas avec l'image. Retrouvez le texte exact (pp. 127, 128, 129) :

a	b	c	d

a	b	c	d
Françoise arrive à l'aéroport.	Françoise revient à l'hôtel Concorde.	L'hôtesse présente Élodie à Françoise.	Françoise accepte le travail à Cannes
....	....	....	....
....	....	....	....

3. Mettez les phrases suivantes dans l'ordre chronologique de l'histoire (de 1 à 4) :

a) ☐ Ouf, j'ai eu peur.
b) ☐ J'espère que tout va bien se passer.
c) ☐ On a volé mon sac.
d) ☐ Elle a joué aux cartes.

4. Complétez :

a) C'est votre billet d'avion .... Nice.
b) (Au chauffeur de taxi) : « Je .... combien ? »
c) Je vais à Cannes .... travailler.
d) Elle a joué .... cartes.
e) La petite fille, je .... garde.
f) Je crois .... j'ai perdu mon sac.

5. Retrouvez les lieux :

Image n° 6 : Où est la petite Élodie ?

....

Image n° 9 : Où est Françoise ?

....

Retrouvez l'action :

Image n° 5 : Que fait Françoise ?

....

Image n° 3 : Que fait le directeur de l'hôtel Martinez ?

....

6. Qui parle ? À qui ?

a) Au revoir et bonnes vacances. ....

b) Une jeune fille a perdu son sac dans un taxi à l'aéroport. ....

c) Je vais à l'hôtel Martinez pour travailler. ....

d) Prenez un taxi. ....

7. Répondez aux questions avec des phrases :

a) Françoise est-elle contente de partir travailler à Cannes ?

....

b) Que doit-elle faire à l'hôtel Martinez ?

....

c) On a volé le sac de Françoise ?

....

Exercez-vous

1. Mettez la phrase au passé composé :

a) Il prend un taxi jusqu'au Louvre.

....

b) Elle va à Londres en avion.

....

c) Je vois Françoise ce soir devant le cinéma.

....

d) Elles sortent du travail à 18 heures.

....

2. Complétez avec un adjectif possessif :

a) Ce n'est pas .... soeur, c'est .... femme.

b) J'ai perdu .... carnet de chèques à la gare.

c) Pardon, Madame, c'est .... sac ? Non, ce n'est pas .... sac.

d) C'est le livre de Paulette ? Oui, c'est .... livre.

e) .... frère arrive ce soir à Paris. .... mère va le chercher ?

f) Venez ! .... voiture est devant la sortie du restaurant.

3. Reliez les deux parties de la phrase :

a) Tu as	1. des dessins.
b) Elle a fait	2. je l'ai perdu.
c) Je suis descendue	3. cet été.
d) Vous n'allez pas à Cannes	4. de la chance.
e) Je crois que	5. du taxi.

4. Mettez les verbes au passé composé :

a) dire. J' .... à Isabelle de venir ce soir.

b) faire. Vous .... la cuisine pour vos parents ?

c) se lever. Elle .... à 6 heures ce matin.

d) vouloir. Nous .... voir M. Dupuis aujourd'hui.

e) finir. .... vous .... de manger ?

f) rester. Ils ne .... pas .... à la maison.

5. Complétez :

a) La petite fille aime jouer .... ballon.

b) Vous voyagez .... train ?

c) Le directeur parle .... voyage à Lyon.

6. Complétez avec « appeler » ou « s'appeler » :

a) Elle .... Catherine.

b) Il faut que tu .... M. Dubois au téléphone.

7. Complétez avec le verbe « devoir » :

a) Tu .... aider Pierre à réparer sa bicyclette.

b) Vous me .... 100 francs.

8. Trouvez la question :

a) .... ? J'ai vu toute la ville.

b) .... ? M. Dupuis est le directeur de l'hôtel..

c) .... ? Je descends à la station Opéra..

d) .... ? Elle part à Paris avec Hélène.

Des mots en plus

LES PAPIERS, LES BAGAGES
Cherchez la traduction dans votre dictionnaire :

l'assurance
la carte de crédit
la carte d'identité
la carte de séjour
la carte grise
la carte verte
le permis de conduire
la vignette

l'attaché-case
le bagage à main
le portefeuille
le porte-monnaie
la sacoche
le trousseau de clefs
la valise

le manteau
la poche

égarer
se faire voler
voler

1. Reliez les noms aux adjectifs :

a) un homme
b) une femme
c) un endroit, un lieu
d) un repas

1. vulgaire
2. grandiose
3. charmant (charmante)
4. copieux
5. aimable

2. Retrouvez l'adjectif correspondant au nom :

a) l'amabilité ....
b) l'abondance ....
c) la grandeur ....
d) la gentillesse ....

3. Mettez les adjectifs suivants au féminin :

a) copieux ....
b) aimable ....
c) extravagant ....
d) joli ....

4. Complétez les phrases avec : *charmant, ravissant, ridicule, mauvais goût, bon goût, ordinaire, coquet.*

a) Jean est un jeune homme ...., et qui a très ....
b) La chemise de Guy est de ...., elle est .... et ....
c) Le restaurant de Julien est .... et ....

5. Comment prendre un taxi ?

a) Où attendez-vous ?
b) Pouvez-vous appelez un taxi dans la rue ?
c) Où pouvez-vous téléphoner ?
d) Pouvez-vous prendre un taxi si plusieurs personnes vous accompagnent ?

6. Quels sont les tarifs ? (1989-1990)

a) Zone parisienne, la nuit		
b) Zone interurbaine, le jour	1.	2,55 F/km
(suburbaine)	2.	3,97 F/km
c) À l'extérieur de la zone	3.	5,33 F/km
d) Pour un aller-retour le jour		

7. Où vous adressez-vous lorsque vous avez perdu un objet ?

....

....

8. Quels sont les papiers dont vous avez besoin pour votre voiture si vous conduisez en France ?

a) Une carte d'identité.
b) Un permis de conduire.
c) Une carte de séjour.
d) Une carte grise.
e) Une assurance.

9. Quand peut-on vous demander vos papiers en France ?

a) À la poste ?
b) À l'hôtel ?
c) Au restaurant ?
d) En voiture ?

Rappelez-vous

1. Mettez les phrases au passé-composé :

a) Vous dînez chez des amis ?

....

b) J'ai un problème avec la douche.

....

c) Le garçon de café ne sert pas le dessert.

....

d) Il attend le train sur le quai.

....

e) Le client affranchit la lettre à 2,30 F.

....

2. Posez les questions :

a) – .... ?

– Non, je suis venu en voiture.

b) – .... ?

– Non, il n'a pas assez d'argent pour payer l'addition.

c) – .... ?

– Oui, elle l'a pris à Orly.

d) – .... ?

– Je suis allé à Paris ce week-end.

e) – .... ?

– Dimanche dernier.

3. Complétez avec un possessif singulier :

a) .... sac à main
b) .... valise
c) .... dessert
d) .... oncle
e) .... femme
f) .... poisson rouge
g) .... chien
h) .... secrétaire

4. Trouvez le singulier correspondant :

a) ses ....
b) leurs ....
c) nos ....
d) vos ....
e) mes ....

5. Complétez avec les noms, les verbes, les adjectifs qui manquent en utilisant votre dictionnaire :

Noms	Verbes	Adjectifs
....	....	serviable
....	....	lourd
....	embellir	....
des frites	....	....

Ouvertures

1. Mots croisés :

1. Elle tire les wagons.
2. C'est là que le train roule.
3. Il transporte des voyageurs.
4. C'est un lieu où il y a beaucoup d'aller-retour.
5. Il y en a pour fumeurs ou non-fumeurs.

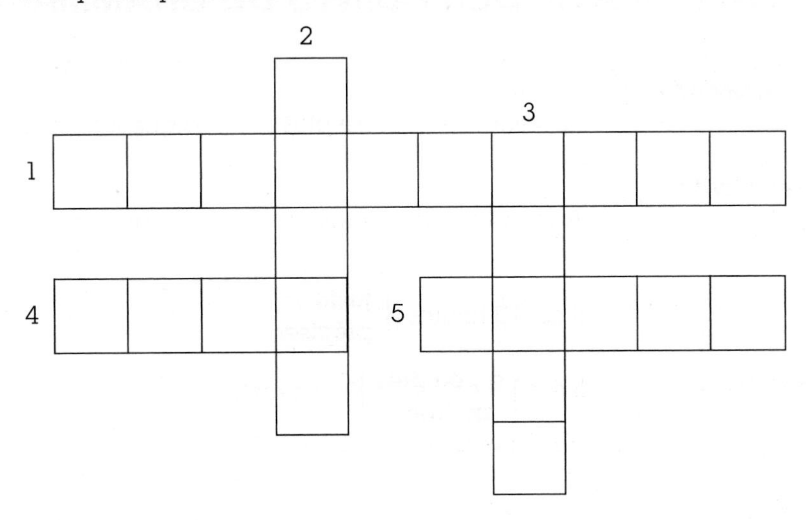

2. Charade.

Mon premier est un préfixe négatif.
Mon second est le double de cinq.
Mon troisième sert à écrire sur le tableau.
Mon tout n'est pas discret.

ALLÔ DOCTEUR...

12e épisode

TABLEAU RÉCAPITULATIF DES POINTS DE GRAMMAIRE

— **Le comparatif de supériorité :** (rappel)	La salle de séjour est **plus** grande **que** la chambre.
— **Le comparatif d'infériorité :** (rappel)	Aujourd'hui, j'ai **moins** mal à la tête **qu'**hier.
— **L'heure :** précise	Il est 10 heures { **juste** / **précises**
approximative	Il est { **à peu près** / **environ** } 10 heures. Venez **vers** 10 heures.
— **L'article contracté** (rappel) : avoir mal	J'ai **mal** aux pieds.
se faire mal	Je me suis fait mal **à la** tête. Tu m'as fait mal **au** dos.

Avez-vous bien compris ?

1. Vrai ou faux ?

	V	F
a) Françoise téléphone à propos de l'appartement.		
b) Elle doit venir chez les Beaulieu en fin de soirée.		
c) Les enfants ont dîné.		
d) Françoise s'inquiète parce que les enfants ont mal au ventre.		

2. Le texte ne va pas avec l'image. Retrouvez le texte exact (pp. 139, 140, 141) :

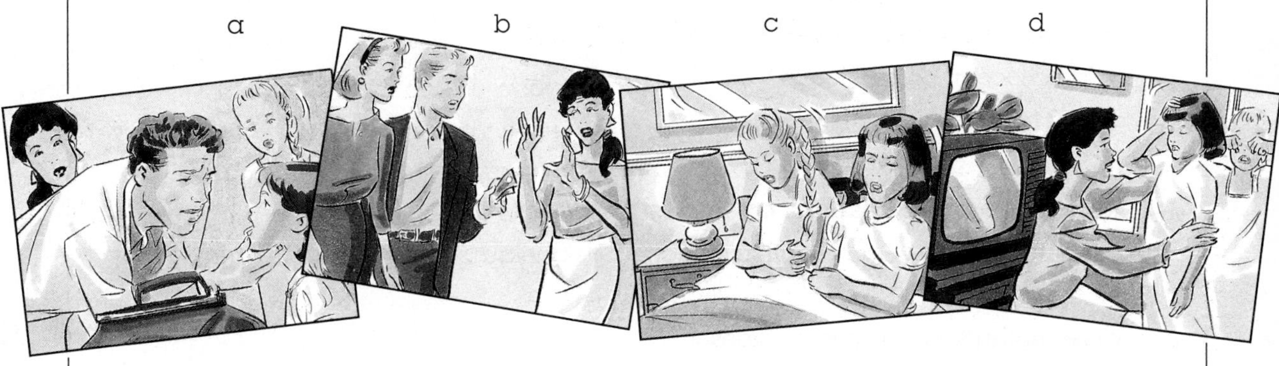

a	b	c	d
Françoise téléphone au docteur.	Françoise rentre chez elle.	Les enfants sont dans la cuisine.	Françoise appelle un docteur.
....	....	....	....
....	....	....	....

3. Mettez les phrases suivantes dans l'ordre chronologique de l'histoire (de 1 à 4) :

a) ☐ Où as-tu mal ?
b) ☐ Soyez sages.
c) ☐ Vous vous appelez comment ?
d) ☐ J'ai deux enfants très malades.

4. Complétez :

a) Je téléphone .... l'annonce.
b) Je cherche .... pour garder mes enfants.
c) Bonsoir, Madame, je reste jusqu'à quelle heure avec .... enfants ?
d) .... vous voulez lire, il y a .... livres .... la bibliothèque.
e) Vous avez .... mangé ?

5. Retrouvez les lieux :

Image n° 5 : Où est Françoise ?

....

Image n° 6 : Où sont les petites filles ?

....

Retrouvez l'action :

Image n° 11 : Que fait Françoise ?

....

Image n° 2 : Que fait Vincent ?

....

6. Qui parle ? À qui ?

a) Vers 19 heures, en début de soirée. ....

b) Ils doivent se coucher vers 8 heures. ....

c) Du chocolat ! Des gâteaux ! ....

d) 250 francs. ....

7. Répondez aux questions avec des phrases :

a) Pourquoi M. et Mme Beaulieu cherchent-ils quelqu'un pour garder les enfants ?

....

b) Les enfants sont-ils très malades ?

....

c) Pourquoi Françoise refuse-t-elle l'argent des Beaulieu ?

....

Exercez-vous

1. Complétez avec un comparatif de supériorité :

a) Sophie est .... grande .... Agnès.

b) Elle mange .... son frère.

c) Nous avons roulé.................... vite .... vous.

2. Complétez avec un comparatif d'infériorité :

a) Jeanne est .... sympathique .... sa soeur.

b) Vous arrivez .... tard aujourd'hui.

c) Pour maigrir, mangez .... !

3. Reliez les deux parties de la phrase :

a) Vers 19 heures	1. des enfants.
b) Sinon vous avez	2. mal aux jambes ?
c) Je m'occupe	3. en début de soirée.
d) Tu n'as pas	4. la peine.
e) Ce n'est pas	5. la télévision.

4. Donnez l'heure précise :

a) Pouvez-vous venir à 8 heures .... ?

b) Je vous attends à 7 heures et demie .... devant la gare.

5. Donnez l'heure approximative :

a) Je me réveille. Je pense qu'il est .... 7 heures
b) Nous avons rendez-vous .... 9 heures.
c) Elle vient ....11 heures.

6. Mettez le verbe au présent de l'indicatif :

a) être. Si tu .... libre, nous allons danser.
b) devoir. Tu me .... l'argent du taxi.
c) garder. Elle .... sa grand-mère malade.
d) vouloir. Si vous .... dîner, regardez dans le frigidaire.
e) se coucher. Elles ne .... pas tôt.
f) envoyer. J' .... un paquet à mon ami.

7. Complétez avec « avoir mal » ou « se faire mal » :

a) Quand vous tombez de bicyclette, vous .... au dos.
b) Vous avez conduit la voiture toute la nuit, vous .... yeux.
c) Ils ont mangé trop de crème fraîche, ils .... l'estomac.

8. Trouvez la question :

a) .... ? Oui, les charges sont comprises.
b) .... ? Nous cherchons un 2 pièces.
c) .... ? Il est 18 heures trente.
d) .... ? Au deuxième étage.

Des mots en plus

LA SANTÉ, LA MALADIE
Cherchez la traduction dans votre dictionnaire :

la fièvre

avaler
blesser
digérer
(s') empoisonner
(s')enrhumer
enterrer
examiner
guérir (de)
guérir quelqu'un
mourir
prendre un médicament
prescrire un médicament
(se) remettre (de)
saigner
tousser

1. Reliez les verbes aux noms ou pronoms :

a) avaler	1. une ordonnance
b) saigner	2. quelqu'un
c) blesser	3. un médicament
d) prescrire	4. du nez

2. Trouvez le sujet : *malade, médicament, médecin, pharmacien.*

a) .... prescrit une ordonnance pour le petit Jean.

b) .... donne les médicaments à la maman de Jean.

c) .... s'est enrhumé dimanche soir au stade.

d) .... aide le jeune homme à guérir.

3. Trouvez le nom qui correspond au verbe :

a) s'empoisonner ....

b) guérir ....

c) s'enrhumer ....

4. Conjuguez les verbes au présent et au passé-composé :

a) tomber.	Le joueur	....	....	en jouant au football.
b) prescrire.	Le médecin	....	....	une ordonnance.
c) prendre.	Le malade	....	....	un médicament.
d) se remettre.	Les malades	....	....	de leur angine.
e) mourir.	Le vieil homme	....	....	à 83 ans.

5. Posez les questions :

a) – .... ?

– Là, au pied.

b) – .... ?

– Oui, j'ai pris de l'aspirine.

c) – .... ?

– Mais oui, dans trois jours, vous pourrez courir.

d) – .... ?

– Non, je n'ai que 37°.

6. Complétez avec les mots suivants : commissariat de police, médecin, à la pharmacie, l'annuaire, de garde.

Pour trouvez un médecin, vous pouvez chercher dans ...., il y a la liste de tous les .... par arrondissement. La nuit, ..., les noms des médecins .... sont affichés. Mais le .... peut aussi vous donner les renseignements.

7. Comment se passe un remboursement-maladie en France ?

	V	F
a) Le malade paie le médecin.		
b) Le malade ne paie pas le médecin.		
c) La sécurité sociale paie le médecin.		
d) La sécurité sociale rembourse le malade.		
e) Le malade remplit une feuille d'assurance maladie.		
f) Il envoie cette feuille à la Sécurité Sociale.		

8. Reliez le siècle au pouvoir politique ou au roi et au style :

a) XIXe s.	1. Consulat	A. Fin du style Louis XIII
b) XVIIe s.	2. Louis-Philippe	B. Directoire
c) XXe s.	3. Louis XIV	C. Art déco
d) XVIIIe s.	4. IIIe République	D. Louis-Philippe

9. Faites correspondre le style et sa définition :

a) Allure majestueuse, formes cubiques bois sombres
b) Bois plus clairs, les angles s'arrondissent
c) Style inspiré des femmes et de la nature

1. Restauration
2. Empire
3. Modern style

Rappelez-vous

1. Remplacez les mots soulignés par un pronom sujet ou complément :

a) Les années 1900 (....................) voient la naissance du Modern style.
b) Il remplit une feuille d'assurance. — Il .... remplit.
c) On fait les magasins depuis 2 h. — On .... fait depuis 2 h.
d) Non, je garde les enfants. — Je .... garde.
e) Vincent et Françoise sont stagiaires. — .... sont stagiaires.
f) Elle a pris son sac. — Elle .... a pris.
g) Martine offre le parfum à Monique. — .... offre à Monique

2. Mettez les textes sur « le train » de la page 14 au passé-composé :

....
....
....
....

Ouvertures

1. Lisez les étiquettes. Vous pouvez constater qu'elles établissent des comparaisons :

bavard	comme une pie
gai	comme un pinson
rapide	comme l'éclair
écrire	comme un chat

Remplissez, maintenant, les étiquettes vides. Au besoin, aidez-vous du dictionnaire :

beau	
dormir	
trembler	
	comme un singe
	comme un turc
	comme un ogre
	comme un linge
doux	
long	

À l'aide des expressions précédentes, composez un petit poème qui commencera par :

– *C'était un homme bizarre...*
ou par
– *C'était un personnage extraordinaire...*
ou encore par
– *C'était un animal étonnant...*

© Tous droits réservés

2. Dans Paris...

Dans Paris il y a une rue ; dans cette rue il y a une maison ; dans cette maison il y a un escalier ; dans cet escalier il y a une chambre ; dans cette chambre il y a une table ; sur cette table il y a un tapis ; sur ce tapis il y a une cage ; dans cette cage il y a un nid ; dans ce nid il y a un œuf ; dans cet œuf il y a un oiseau.

L'oiseau renversa l'œuf ; l'œuf renversa le nid ; le nid renversa la cage ; la cage renversa le tapis ; le tapis renversa la table ; la table renversa la chambre ; la chambre renversa l'escalier ; l'escalier renversa la maison ; la maison renversa la rue ; la rue renversa la ville de Paris.

Paul Éluard

Tous droits réservés.

FOOTBALL

13e épisode

TABLEAU RÉCAPITULATIF DES POINTS DE GRAMMAIRE

— **Les articles :**

le, la, l', les
un, une, des

— **La négation simple :**

Elle **ne** va **pas** en vacances cette année.

— **Les adjectifs qualificatifs :**

masculin	féminin
italien allemand prêt	italien**ne** allemand**e** prêt**e**

— **L'interrogation :**
quelle, quelles
quel, quels

Quelle jupe choisissez-vous ?
Vous prenez **quel** sandwich ?

— **Les articles partitifs**
du, de la, des, de l'

Je voudrais **des** oranges.
Elle boit **de** l'eau minérale.

— **Les adjectifs démonstratifs :**
ce, cet, cette, ces
celui-ci, ceux-ci
celle-ci, celles-ci

Ce foulard bleu est très beau.
Vous voulez **ces** chaussures ?
Non, je préfère **celles-ci**.

— **Les pronoms compléments :**
le, la, l', les

Votre sac est là. Je vous **l'**apporte.

— **Les adjectifs possessifs :**

ma, ta, sa — mes, tes, ses
mon, ton, son — nos
notre — vos
votre

— **Les comparatifs :**
de supériorité : plus ... que
d'infériorité : moins ... que

Elle a **plus** de chance **que** son frère.
Tu manges **moins que** lui.

— **Le passé composé :**

avec avoir	avec être
J'ai mangé	Je suis part**ie** Ils se sont lev**és**

Avez-vous bien compris ?

1. Vrai ou faux ?

a) Françoise aime les matches de football.
b) Françoise veut faire plaisir à Vincent.
c) L'homme qui court, c'est l'arbitre.
d) Françoise n'a pas aimé le match.

V	F

2. Le texte ne correspond pas avec l'image. Retrouvez le texte exact (pp. 151, 152, 153) :

a b c d

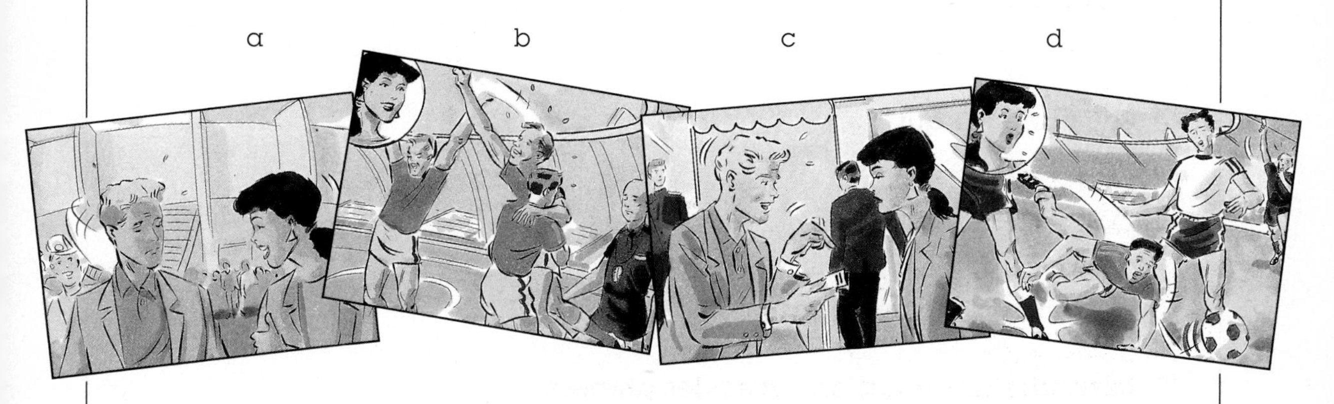

a	b	c	d
Françoise et Vincent rentrent à l'hôtel Concorde.	Françoise et Vincent arrivent au stade.	Les deux amis sont à l'entrée du stade.	Françoise est montée sur les épaules de Vincent.
....	....	....	....
....	....	....	....

3. Mettez les phrases suivantes dans l'ordre chronologique de l'histoire (de 1 à 4) :

a) ☐ On est arrivés en retard, c'est dommage.
b) ☐ Une place, c'est combien ?
c) ☐ Vite, on va être en retard.
d) ☐ Cest la fin du match.

4. Complétez :

a) Le match se termine .... 22 heures.
b) C'est pour .... faire plaisir.
c) On va être .... retard.
d) C'est un joueur bleu .... a le ballon.
c) On ne voit pas ....

5. Retrouvez les lieux :

Image n° 10 : Où sont les deux amis ?

....

Image n° 4 : Où est Françoise ?

....

Retrouvez l'action :

Image n° 9 : Que font les joueurs bleus ?

....

Image n° 1 : Que fait Françoise ?

....

6. Qui parle ? À qui ?

a) Ils ont marqué un but. ....

b) Je voudrais une baguette. ....

c) Donnez-moi un jus de fruit s'il vous plaît. ....

d) Je n'accepte pas les chiens. ....

7. Répondez aux questions avec des phrases :

a) Pourquoi Vincent insiste-t-il pour aller au match avec Françoise ?

....

b) Est-ce que Vincent peut voir les joueurs ?

....

c) Que veut faire Vincent la prochaine fois ?

....

Exercez-vous

1. Mettez les phrases à la forme négative :

a) Je suis allée au cinéma. ....

b) J'ai vu son amie hier. ....

2. Complétez avec l'adjectif qualificatif :

a) C'est une voiture d'Allemagne.

C'est une voiture ....

b) Ce sont des touristes d'Amérique.

Ils sont ....

3. Complétez avec un démonstratif :

a) Vous n'aimez pas .... jupe ? Dommage.
b) .... gâteau ne me plaît pas. Je préfère ....

4. Complétez avec : quel, quelle, quels, quelles.

a) Vous choisissez .... chambres ? Nous prenons celles-ci.
b) Vous prenez .... journal ?
c) .... heure est-il ?
d) .... train prenez-vous ?

5. Complétez avec un article partitif :

a) Est-ce que vous avez .... vin espagnol ?
b) Elle voudrait manger .... viande.
c) Vous avez .... de la crème ?
d) Je voudrais .... pain frais ?

6. Complétez avec un pronom complément :

a) Françoise a oublié son sac chez moi, je vous .... apporte.
b) Les enfants sont à la maison, je .... ai vus.
c) C'est le frère de Jacqueline, je .... connais.

7. Complétez avec un possessif :

a) Où avez-vous perdu .... papiers ?
b) .... sac est bleu, mais .... sac est gris.
c) .... mère t'attend à 8 heures précises.
d) Tu as .... lunettes ?

8. Trouvez la question :

a) .... ? Le match a commencé il y a 10 minutes.
b) .... ? Oh, oui. J'accepte.
c) .... ? Parce que je préfère le bleu.

Des mots en plus

LES SPORTS

Cherchez la traduction dans votre dictionnaire :

le champion	le gymnaste	le rugby	le stade
la danse	les loisirs	le skieur	le tennis
le divertissement	la performance	les sports d'hiver	le terrain de tennis
l'équipe	la piscine	les sports nautiques	la voile
le football	la raquette (de tennis)		

1. Trouvez le nom correspondant au verbe :

a) skier ....

b) se divertir ....

c) danser ....

d) faire de la gymnastique ....

2. Classez les sports suivants : *le hockey sur glace, la voile, le ski, le surf, le ski nautique, le patin à glace, la natation.*

Sports d'hiver	Sports nautiques

3. Qu'est-ce qu'il vous faut pour...

a) jouer au football ? 1. une raquette
b) jouer au tennis ? 2. un bateau
c) faire de la voile ? 3. un ballon rond
d) faire du rugby 4. un ballon ovale

4. Reliez une région à un produit gastronomique :

a) un bordeaux 1. vin
b) une béarnaise 2. fromage
c) une niçoise 3. sauce
d) un cantal 4. salade

5. Reliez une marque à un produit :

a) Cardin 1. parfum
b) Peugeot 2. vêtement
c) Lévitan 3. voitures
d) Rochas 4. meubles

6. Classez ces styles du plus ancien au plus récent :

a) Empire
b) Directoire
c) Restauration
d) Régence

7. Reliez chaque champion au sport qu'il pratique :

a) Platini	1. cyclisme
b) Hinault	2. football
c) Noah	3. voile
d) Tabarly	4. tennis

Ouvertures

Le football

Alceste nous a donné rendez-vous, à un tas de copains de la classe, pour cet après-midi dans le terrain vague, pas loin de la maison. Alceste c'est mon ami, il est gros, il aime bien manger, et s'il nous a donné rendez-vous, c'est parce que son papa lui a offert un ballon de football tout neuf et nous allons faire une partie terrible. Il est chouette, Alceste.

Nous nous sommes retrouvés sur le terrain à trois heures de l'après-midi, nous étions dix-huit. Il a fallu décider comment former les équipes, pour qu'il y ait le même nombre de joueurs de chaque côté.

Pour l'arbitre, ça a été facile. Nous avons choisi Agnan. Agnan c'est le premier de la classe, on ne l'aime pas trop, mais comme il porte des lunettes on ne peut pas lui taper dessus, ce qui, pour un arbitre, est une bonne combine. Et puis, aucune équipe ne voulait d'Agnan, parce qu'il est pas très fort pour le sport et il pleure trop facilement. Là où on a discuté, c'est quand Agnan a demandé qu'on lui donne un sifflet. Le seul qui en avait un, c'était Rufus, dont le papa est agent de police.

« Je ne peux pas le prêter, mon sifflet à roulette, a dit Rufus, c'est un souvenir de famille. » Il n'y avait rien à faire. Finalement, on a décidé qu'Agnan préviendrait Rufus et Rufus sifflerait à la place d'Agnan.

« Alors ? On joue ou quoi ? Je commence à avoir faim, moi ! » a crié Alceste.

Mais là où c'est devenu compliqué, c'est que si Agnan était arbitre, on n'était plus que dix-sept joueurs, ça en faisait un de trop pour le partage. Alors, on a trouvé le truc : il y en a un qui serait arbitre de touche et qui agiterait un petit drapeau, chaque fois que la balle sortirait du terrain. C'est Maixent qui a été choisi. Un seul arbitre de touche, ce n'est pas beaucoup pour surveiller tout le terrain mais Maixent court très vite, il a des jambes très longues et toutes maigres, avec de gros genoux sales. Maixent, il ne voulait rien savoir, il voulait jouer au ballon, lui, et puis il nous a dit qu'il n'avait pas de drapeau. Il a tout de même accepté d'être arbitre de touche pour la première mi-temps. Pour le drapeau, il agiterait son mouchoir qui n'était pas propre, mais bien sûr, il ne savait pas en sortant de chez lui que son mouchoir allait servir de drapeau.

« Bon, on y va ? » a crié Alceste.

Après, c'était plus facile, on n'était plus que seize joueurs.

Il fallait un capitaine pour chaque équipe. Mais tout le monde voulait être capitaine. Tout le monde sauf Alceste, qui voulait être goal, parce qu'il n'aime pas courir. Nous, on était d'accord, il est bien, Alceste, comme goal ; il est très large et il couvre bien le but. Çà laissait tout de même quinze capitaines et ça en faisait plusieurs de trop.

« Je suis le plus fort, criait Eudes, je dois être capitaine et je donnerai un coup de poing sur le nez de celui qui n'est pas d'accord !

— Le capitaine c'est moi, je suis le mieux habillé ! » a crié Geoffroy, et Eudes lui a donné un coup de poing sur le nez.

C'était vrai, que Geoffroy était bien habillé, son papa, qui est très riche, lui avait acheté un équipement complet de joueur de football, avec une chemise rouge, blanche et bleue.

« Si c'est pas moi le capitaine, a crié Rufus, j'appelle mon papa et il vous met tous en prison ! »

Moi, j'ai eu l'idée de tirer au sort avec une pièce de monnaie...

... Il a dit à Alceste, eh ! bien, on joue. Si tu as quelque chose à dire, attends la mi-temps ! »

« La mi-temps de quoi ? a demandé Alceste. Je viens de m'apercevoir que nous n'avons pas de ballon, je l'ai oublié à la maison ! »

© « Le petit Nicolas » de Sempé, Denoël.

un copain = un ami
un tas de = beaucoup
terrible = formidable
être chouette = agréable
taper dessus = frapper
le truc = le moyen
la mi-temps = pause de 15 mn

Après l'étude du texte, faites un petit résumé :

Qui ? ....

Où ? ....

Quoi ? ....

Comment ? ....

Quand ? ....

INDEX GRAMMATICAL

LES GRAMMAIRES DE FRANÇAIS

Imprimé en France par l'Imprimerie Hérissey à Évreux (Eure) — N° 54750
Dépôt légal : Mai 1991